1979

CONTES DRAMATIQUES

CONTES
DRAMATIQUES

Revised Edition

With French Songs, Exercises,
Directions for Acting, and Vocabulary

E. C. HILLS **and**
MATHURIN DONDO

D. C. HEATH AND COMPANY

BOSTON

Illustrated by
Mary Jane Gorton

COPYRIGHT © 1927 and 1960 by D. C. Heath and Company

FOREWORD

THIS is a collection of easy short stories for beginners and simple popular songs. Some of the stories belong to the general folklore of Europe, but most of them are typically French. They have a vein of genial philosophy running through them, and a touch of humor that will appeal to college students as well as to beginners in the high schools. The language is simple, and there is much repetition of words and phrases, so that the students even in the junior high schools should be able to read the book without the use of a grammar. There are no Notes, in the accepted sense of the term. When it has seemed advisable to explain difficulties, the explanations have been given in the Vocabulary.

The stories in this collection are called *Contes dramatiques* because they are so arranged that they can easily be dramatized. So far as possible, they are written in dialogue. At the beginning of each story there is a list of the *personnages*. These can be assigned to students in the class. The instructor, or a leader selected from the students by the instructor, would then read the descriptive matter, and the students to whom parts were assigned would read their several parts as they come to them. If the instructor so wishes, the students may be asked to memorize their parts. The instructor would then begin to read the story, and the students, with their books closed, would give the dialogue from memory.

All of the stories can be fully dramatized, either in the classroom or in French clubs, and there is nothing that makes French so living as to act it — that is, to coordinate the words with the actions that the words denote. To help in dramatization, suggestions as to the stage setting of all the stories are given at the end.

There are Exercises for oral work based on each story. The first part of each set of exercises is a questionnaire, to be answered in French. This part is followed by a variety of direct-method exercises, all of which can be done with the students' books closed. In these exercises especial emphasis is put on the use of verbs and personal pronouns.

The forms of irregular verbs — except the subjunctive tenses — are given under the several verbs in the Vocabulary, so that the student may be referred to the Vocabulary for the verb that is being studied. For instance, if the student will turn to *faire*, he will find the paradigms of the indicative tenses, the imperative, and the participles. This is true of all the commoner irregular verbs. Moreover, all irregular verb forms that occur in the stories are listed separately, in alphabetical order, in the Vocabulary.

The *Chansons populaires* are simple and tuneful songs, and are selected from those that all French boys and girls know. The music for these songs can be had in Jameson and Heacox, *Chants de France*, published by D. C. Heath and Company, or other similar collections. The singing of songs by students is to be commended. By singing, they learn many popular expressions, and they acquire a feeling for the rhythm of the language.

These *Contes dramatiques*, with their simple everyday language and much repetition, and with their direct-method exercises and complete vocabulary, are well adapted to serve as a beginners' reading book, whether they are dramatized or not. But they have this additional advantage. If the instructor so wishes, the stories may be dramatized fully or in part, and they may be accompanied by song.

It may not always be expedient to act or to sing in the classroom, although in some schools and colleges acting and singing in the classroom are a regular part of the exercises in a foreign language. But, at any rate, the songs and the dialogues of the stories may be learned and may be given from memory in the classroom, and the stories may be acted and the songs sung in French clubs. There are probably no other direct-method exercises that are so pleasant and profitable.

We wish to acknowledge our indebtedness to Dr. Henriette Roumiguière for help in reading the proofs and making the vocabulary.

E. C. H. AND M. D.

Foreword to New Edition

In this new edition two more *contes* have been added to the previous list: *Les Lunettes* and *Un bon tour*.

The pedagogical purpose of *Les Lunettes* is to introduce the present subjunctive in its most common conversational occurrence. The use of the subjunctive was deliberately avoided in the first edition. However some teachers expressed the desire that first-year students be given the opportunity to recognize the subjunctive form in their reading. *Les Lunettes* introduces the present subjunctive in simple constructions.

The other *conte*, *Un bon tour*, presents a résumé of all tenses used throughout the book, and which first-year students should know or at least recognize.

No attempt has been made in the new edition to change the value of the French currency to the present rate of exchange. It has been thought more convenient to keep the old standard of monetary value, when the franc was worth 20 cents, and a sou worth one cent, remembering that one sou was also equivalent to five centimes.

The late monetary reform introduced by de Gaulle has brought the franc back to the approximate value based on the old standard.

M. D.

CONTENTS

CONTES DRAMATIQUES

LE CIRQUE

Le premier homme qui crie
Un homme du village
Un enfant
Le père
Un deuxième enfant
La mère

Un troisième enfant
Le frère
Le deuxième homme qui crie
Le troisième homme qui crie
Une femme du village
Un quatrième enfant

Tout le monde (excepté les trois qui crient)

Le cirque est au village. Tout le monde dit:

—Allons au cirque! Allons voir le cirque!

Les hommes, les femmes, les enfants vont au cirque.

Il y a une grande tente sur la place du village. Devant l'entrée
de la grande tente il y a un homme qui crie: 5

— Entrez, mesdames et messieurs! Venez voir les animaux
sauvages.

Un homme du village demande:

— C'est combien pour voir les animaux sauvages?

L'homme qui crie répond: 10

— C'est vingt-cinq centimes, cinq sous seulement. Entrez,
entrez!

Tout le monde donne cinq sous à l'homme qui crie devant
la tente. Les hommes, les femmes, les enfants entrent dans la
grande tente.   15

Dans une cage il y a des singes. Un enfant demande à son père:

— Qu'est-ce que c'est?

Son père répond:

— C'est un singe.

Tout le monde dit: 20

— Regardez les singes!

Dans une deuxième cage il y a un lion. Un deuxième enfant
demande à sa mère:

3

— Qu'est-ce que c'est?

Sa mère répond:

— C'est un lion.

Tout le monde dit:

— Regardez le lion! 5

Dans une troisième cage il y a un tigre. Un troisième enfant demande à son frère:

— Qu'est-ce que c'est?

Son frère répond:

— C'est un tigre. 10

Tout le monde dit:

— Regardez le tigre!

Il y a aussi un chameau, une girafe et un éléphant. Tout le monde dit:

— Regardez! Regardez! 15

— Voilà un chameau.

— Voilà une girafe.

— Voilà un éléphant.

Dans une deuxième tente il y a un manège de chevaux de bois. Devant l'entrée de la tente il y a un homme qui crie: 20

— Entrez, mes enfants. Montez sur les chevaux de bois.

Un enfant demande:

— C'est combien pour monter sur les chevaux de bois?

L'homme qui crie répond:

— C'est cinquante centimes, dix sous seulement. Entrez, 25 entrez!

Tous les enfants disent:

— Montons sur les chevaux de bois.

Ils donnent dix sous à l'homme et ils entrent dans la tente. Les chevaux de bois tournent rapidement. 30

Devant l'entrée d'une troisième tente il y a un homme qui crie:

— Entrez, mesdames et messieurs! Entrez, entrez! Venez voir un animal extraordinaire. C'est un chat, mais ce n'est pas un chat. Il a les yeux et le nez d'un chat, mais ce n'est pas un chat. 35

5

Il a les oreilles et la bouche d'un chat, mais ce n'est pas un chat.
Il a les pattes, la queue et le corps d'un chat, mais ce n'est pas un
chat. Entrez, mesdames et messieurs!

Une femme du village demande:

5 — C'est combien pour voir cet animal extraordinaire?

L'homme qui crie répond:

— C'est un franc, vingt sous seulement.

Un enfant dit:

— C'est un chat, mais ce n'est pas un chat. Qu'est-ce que c'est?

10 Un deuxième enfant dit:

— Il a les yeux et le nez d'un chat, mais ce n'est pas un chat.
Qu'est-ce que c'est?

Un troisième enfant dit:

— Il a les oreilles et la bouche d'un chat, mais ce n'est pas
15 un chat. Qu'est-ce que c'est?

Un quatrième enfant dit:

— Il a les pattes, la queue et le corps d'un chat, mais ce n'est
pas un chat. Qu'est-ce que c'est?

Tout le monde donne un franc à l'homme qui crie devant la
20 tente. Les hommes, les femmes, les enfants entrent dans la
tente.

Bientôt un enfant sort de la tente et dit:

— C'est un chat en faïence!

Bientôt un deuxième, un troisième, un quatrième enfant
25 sortent de la tente et disent:

— C'est un chat en faïence!

Bientôt tout le monde sort de la tente et dit:

— C'est un chat en faïence!

6

LES TROCS DE JEAN

Marie

Jean

La vieille femme

L'homme qui mène une chèvre

L'homme qui porte une oie

L'homme qui porte un coq

Le voisin

Un paysan français, qui s'appelle Jean, demeure à la campagne avec sa femme, qui s'appelle Marie. Un jour Marie dit à Jean:

— Notre voisin va souvent au marché. Il vend une vache et avec l'argent il achète une chèvre, une oie, un coq, du bois. Il gagne ainsi beaucoup d'argent. Pourquoi ne faites-vous pas comme notre voisin? 5

Jean dit à sa femme:

— Oui, mais si je perds de l'argent vous allez me gronder.

Marie répond:

— Mais non, je ne vais pas vous gronder. Allez au marché 10 et faites comme notre voisin.

Jean va au marché avec une vache. En chemin il rencontre un homme qui mène une chèvre.

L'homme demande:

— Où allez-vous, Jean? 15

Jean répond:

— Je vais au marché vendre cette vache et acheter une chèvre.

— N'allez pas plus loin, mon ami. Voici une belle chèvre. Voulez-vous me donner votre vache pour cette chèvre?

— Je veux bien. 20

Jean donne sa vache pour la chèvre et il continue son chemin. Bientôt il rencontre un homme qui porte une oie.

— Où allez-vous, Jean?

— Je vais au marché vendre cette chèvre et acheter une oie.

— N'allez pas plus loin, mon ami. Voici une très belle oie. 25 Voulez-vous troquer votre chèvre contre cette oie?

7

— Je veux bien.

Jean troque sa chèvre contre l'oie et il continue son chemin.

Bientôt il rencontre un homme qui porte un coq.

— Où allez-vous, Jean?

— Je vais au marché vendre cette oie et acheter un coq.   5

—N'allez pas plus loin, mon ami. Voici un beau coq. Voulez-vous troquer votre oie contre ce coq?

— Je veux bien.

Jean troque son oie contre le coq et il continue son chemin. En passant par une forêt il rencontre une vieille femme qui 10 ramasse du bois.

Jean dit:

— Bonjour, ma bonne femme. Est-ce que vous gagnez beaucoup d'argent avec ce bois?

La vieille femme répond: 15

— Je gagne assez pour vivre.

— Voulez-vous me donner votre bois pour ce coq?

— Avec plaisir.

Jean donne son coq à la vieille femme, il prend le bois et il continue son chemin. Il arrive enfin au marché, où il rencontre 20 son voisin.

Son voisin demande:

— Avez-vous gagné beaucoup d'argent aujourd'hui?

Jean répond:

— Non, je n'ai pas gagné beaucoup aujourd'hui. J'ai donné 25 ma vache pour une chèvre.

— Vous êtes bien sot, mon ami. Que va dire votre femme?

— Marie ne va rien dire. Mais ce n'est pas tout. J'ai troqué la chèvre contre une oie.

— Vous êtes bien sot, je vous dis. Que va dire Marie?   30

— Elle ne va rien dire. Mais ce n'est pas tout. J'ai troqué l'oie contre un coq, et j'ai donné le coq pour ce bois.

— Vous avez perdu de l'argent, mon ami. Votre femme va vous gronder.

— Mais non, je vous dis. Elle ne va pas me gronder.   35

— Je parie cinq cents francs qu'elle va vous gronder. Si elle vous gronde, vous me donnez cinq cents francs. Si elle ne vous gronde pas, moi, je vous donne cinq cents francs.

Jean dit:

5 — J'accepte le pari, — et il retourne à la maison avec son voisin.

Marie demande à Jean:

— Avez-vous vendu la vache?

— Non, je n'ai pas vendu la vache, mais je l'ai troquée contre une chèvre.

10 — Vous l'avez troquée contre une chèvre? Vous avez bien fait. Une chèvre mange moins qu'une vache et elle donne autant de lait.

— Ce n'est pas tout. J'ai troqué la chèvre contre une oie.

— Vous avez troqué la chèvre contre une oie? Vous avez
15 encore bien fait. Nous allons faire un matelas avec les plumes de l'oie.

— Mais ce n'est pas tout. J'ai troqué l'oie contre un coq.

— Vous avez troqué l'oie contre un coq? Vous avez très bien fait. Le coq va nous réveiller tous les matins de bonne heure.

20 — Oui, mais ce n'est pas encore tout. J'ai donné le coq pour ce bois.

— Vous avez donné le coq pour ce bois? Mais vous avez très bien fait, Jean. Il fait froid, et avec ce bois nous allons faire un bon feu.

25 Alors Jean dit à son voisin:

— J'ai gagné le pari. Ma femme ne m'a pas grondé. Donnez-moi les cinq cents francs.

Son voisin dit:

— Votre femme ne vous a pas grondé. Vous avez gagné le
30 pari. Mais vous êtes bien sot, et votre femme est aussi sotte que vous.

Marie dit:

— Non, c'est vous qui êtes sot. C'est vous qui avez perdu votre argent.

LES EXAMENS

Alfred

Le professeur d'histoire	*Le professeur de physique*
Le professeur de géographie	*Le professeur d'anglais*

Alfred est élève dans un lycée de Paris, où il suit des cours d'histoire, de géographie, de physique et d'anglais. Il aime beaucoup aller à l'école, mais il étudie très peu.

Huit jours avant les examens, Alfred se met à repasser rapidement ses leçons. Le jour des examens arrive. Alfred se présente 5 d'abord à l'examen d'histoire. C'est un examen oral.

Le professeur d'histoire lui demande:

— Quel est le premier président des États-Unis? Alfred répond:

— Christophe Colomb. 10

— Êtes-vous bien sûr?

— Oui, monsieur; parce qu'il a découvert l'Amérique.

— Et qui est George Washington?

Alfred songe un moment et dit:

— Il est l'inventeur du phonographe. 15

Le professeur dit:

— Ça suffit.

Alfred sort de la salle en se disant:

— J'ai passé un bon examen d'histoire.

Après cela, Alfred se présente à l'examen de géographie. Le 20 professeur de géographie lui pose cette question:

— Quel est le plus grand fleuve du monde?

Alfred répond sans hésiter:

— La Seine.

Le professeur dit: 25

— Ah! La Seine est plus grande que le Mississipi, par exemple?

11

— Oui, monsieur; sur ma carte la Seine est beaucoup plus grande que le Mississipi.

— Ça suffit.

Alfred se dit en sortant de la salle:

— J'ai passé un bon examen de géographie. Je suis sûr que 5 je n'ai pas échoué.

Alfred se présente ensuite à l'examen de physique. Le professeur de physique lui pose cette question:

— Dites-moi quels sont les effets de la chaleur et du froid.

Alfred répond à cette question: 10

— La chaleur dilate et le froid contracte.

— Très bien. Donnez-moi un exemple de la dilatation par la chaleur et de la contraction par le froid.

Alfred songe un moment, puis il donne cet exemple:

— En été les jours sont plus longs, parce qu'il fait chaud. En 15 hiver les jours sont plus courts, parce qu'il fait froid.

— Ça suffit.

Alfred se dit en sortant:

— Je suis sûr d'avoir bien passé mes examens d'histoire, de géographie et de physique. 20

Alfred se présente enfin à l'examen d'anglais. Le professeur lui pose cette question:

— Quel est l'auteur de *Roméo et Juliette?*

Alfred répond sans hésiter:

— Shakespeare. 25

— Très bien. Avez-vous lu *Roméo et Juliette?*

Alfred hésite un moment, puis il répond:

— J'ai lu *Roméo*, mais je n'ai pas encore lu *Juliette.*

— Vous n'avez pas encore lu *Juliette?* C'est drôle!

— Oui, monsieur. 30

— Mais je vous assure que la fin est tragique. Ça suffit.

Alfred sort de la salle d'examen en se disant:

— Je suis sûr d'avoir bien passé tous mes examens. Cette année je n'ai pas échoué.

Quelques jours après, Alfred apprend le résultat de ses examens. 35

13

A sa grande surprise il a complètement échoué, et il doit répéter tous ses cours.

Il lit à ses camarades la lettre qui lui annonce le résultat des examens:

5 — Zéro en histoire. Zéro en géographie. Zéro en physique. Zéro en anglais.

Alfred dit:

— Je ne sais pas pourquoi j'ai échoué. J'ai répondu à toutes les questions. Les professeurs sont injustes.

14

LE GROS POISSON

Jean
Un passant

Un autre passant
Tous les autres passants

Marseille est un port de mer important situé sur la Méditerranée. Beaucoup de bateaux entrent tous les jours dans le port
de Marseille. Tous les jours aussi de grands bateaux sortent du
port pour aller dans toutes les parties du monde.

Les habitants de Marseille sont très fiers de leur ville. Ils disent 5
que c'est la plus belle ville du monde. Les Marseillais parlent
beaucoup, et comme ils ont beaucoup d'imagination, ils exagèrent
un peu la vérité. Ils racontent souvent des histoires extraor-
dinaires, que personne ne croit, excepté les Marseillais.

Un jour, dans une rue de Marseille, un ouvrier qui s'appelle 10
Jean et qui n'a rien à faire, raconte cette histoire à un groupe de
passants:

— Mes amis, je viens de voir un poisson énorme à l'entrée du
port. Je crois que c'est le plus gros poisson du monde. Il est si
gros que les bateaux ne peuvent pas sortir du port.   15

Les Marseillais croient facilement les histoires qu'on leur
raconte, et immédiatement un des passants dit:

— Allons au port.

Tous les autres passants disent aussi:

— Allons voir le gros poisson.   20

Ils courent au port en disant à tout le monde:

— Venez voir le gros poisson.

Les femmes et les enfants courent au port. Le boulanger, le
boucher, l'épicier, le cordonnier, le maçon, le charpentier courent
aussi au port. Tout le monde va voir le gros poisson.   25

Une heure après l'ouvrier a complètement oublié l'histoire
qu'il vient de raconter. Il voit tout le monde courir vers le port.

Jean demande à un autre passant:

— Où courez-vous, mon ami?

Le passant lui répond:

— Je cours au port. Il y a un poisson énorme à l'entrée du
port. C'est le plus gros poisson du monde. Il est si gros que les
bateaux ne peuvent pas sortir du port.   5

Jean dit:

— Vraiment? C'est extraordinaire. Je vais voir aussi le gros
poisson.

Et il court au port avec tout le monde.

LES CORRIGANS

Cinq corrigans   *Pierre*   *Jean*

En Bretagne il y a des nains espiègles que les gens de la campagne rencontrent quelquefois le soir sur leur chemin. Ces nains sont tout petits, et on les appelle les corrigans. Ils dansent la nuit sur les chemins solitaires. Ils ne sont pas méchants, mais
5 ils aiment à jouer des tours.

Un bossu, qui s'appelle Pierre, revient un soir de son travail par un chemin solitaire. Il fait clair de lune. Tout à coup le bossu entend de petites voix qui chantent joyeusement:

Lundi, mardi, mercredi,
10   Lundi, mardi, mercredi.

Les petites voix répètent toujours la même chose. Le bossu continue son chemin, et bientôt il aperçoit des nains qui dansent. Comme il fait clair de lune, il peut les voir distinctement. Les corrigans se tiennent par la main et ils dansent en chantant:

15   Lundi, mardi, mercredi,
          Lundi, mardi, mercredi.

Pierre se dit:

— Voilà les corrigans. C'est la première fois que je rencontre les corrigans, mais je n'ai pas peur.
20 Alors il s'approche des nains pour les regarder danser.

Les corrigans, qui se tiennent par la main, entourent le bossu et continuent leur danse en chantant:

Lundi, mardi, mercredi,
Lundi, mardi, mercredi.

25 Comme les corrigans répètent toujours la même chose, le bossu leur dit:

— C'est tout? Votre chanson est bien courte.

Les nains répondent:

— C'est tout.

— Pourquoi ne chantez-vous pas toute la chanson?

— C'est tout ce que nous savons.

5 — C'est tout ce que vous savez? Mais ce n'est pas toute la chanson.

— Eh bien, chantez-nous le reste de la chanson, s'il vous plaît.

Alors Pierre répète la chanson des corrigans, en ajoutant un deuxième vers:

10
Lundi, mardi, mercredi,
Jeudi, et puis vendredi.

Les corrigans disent:

— C'est plus joli comme ça, — et les nains se mettent tous à chanter joyeusement:

15
Lundi, mardi, mercredi,
Jeudi, et puis vendredi.

Ils continuent ainsi à chanter et à danser au clair de lune, en se tenant par la main et en entourant le bossu.

Pierre dit:

20 — Je suis fatigué, et je désire rentrer chez moi.

Mais les corrigans l'entourent et ne le laissent pas partir.

Alors il dit aux nains:

— Mes amis, laissez-moi partir, je vous prie. Il est tard et je dois rentrer chez moi.

25 Les corrigans disent:

— Oui, oui, laissons-le partir.

Un des nains dit alors:

— Il faut le récompenser. Qu'allons-nous lui donner, de l'or, de l'argent, des diamants?

30 Un deuxième nain dit:

— Il peut avoir tout ce qu'il désire.

Un troisième nain dit:

— Nous pouvons enlever sa bosse s'il le veut.

Le bossu dit:

— Enlevez ma bosse, enlevez ma bosse! C'est tout ce que je vous demande.

Tous les corrigans disent:

— Très bien, enlevons sa bosse. 5

Alors les corrigans se mettent à frotter le dos du bossu avec des herbes magiques, et la bosse disparaît aussitôt. Pierre est très content et il remercie les nains en disant:

— Merci, mes amis, merci bien. Je vais rentrer chez moi. Bonsoir. Quelle bonne surprise pour ma femme! Bonsoir. 10 Au revoir.

En chemin Pierre rencontre son ami Jean, qui est bossu aussi.

Jean lui demande:

— Où est votre bosse?

Pierre répond: 15

— Les corrigans viennent de l'enlever. Je viens de les rencontrer sur le chemin. Ils m'ont entouré dans leur danse et j'ai ajouté un vers à leur chanson. Pour me récompenser ils ont enlevé ma bosse.

Jean dit à Pierre: 20

— Eh bien, je vais voir les corrigans aussi.

Jean va sur le même chemin solitaire. Il fait clair de lune et les corrigans dansent en chantant:

> Lundi, mardi, mercredi,
> Jeudi, et puis vendredi. 25

Jean dit:

— Je n'ai pas peur des corrigans. Je vais m'approcher des nains pour les regarder danser.

Les corrigans, qui se tiennent par la main, entourent le bossu et ils continuent leur danse en chantant: 30

> Lundi, mardi, mercredi,
> Jeudi, et puis vendredi.

Jean leur dit:

— C'est tout? Votre chanson est bien courte.

Les nains lui répondent:

— C'est tout.

— Pourquoi ne chantez-vous pas le reste de la chanson?

— C'est tout ce que nous savons.

5 — C'est tout ce que vous savez? Il y a encore un vers.

— Eh bien, chantez-nous l'autre vers si vous le savez.

Alors Jean ajoute un troisième vers à leur chanson:

> Lundi, mardi, mercredi,
> Jeudi, et puis vendredi,
10 > Samedi, et puis dimanche.

Tous les corrigans répètent alors la chanson avec le vers que Jean vient d'ajouter:

> Lundi, mardi, mercredi,
> Jeudi, et puis vendredi,
15 > Samedi, et puis dimanche.

Alors un des corrigans dit au bossu:

— Ce que vous venez d'ajouter à notre chanson n'est pas joli. « Samedi, et puis dimanche », ce n'est pas joli du tout. Ça ne rime pas.

20 Un deuxième corrigan dit:

— Il a gâté notre chanson.

Un troisième corrigan dit:

— Oui, il l'a gâtée.

Un quatrième corrigan dit:

25 — Que faut-il lui faire?

Un cinquième corrigan dit:

— Il faut lui donner une autre bosse.

Tous les corrigans disent:

— C'est ça! Donnons-lui une autre bosse.

30 Alors les corrigans se mettent à frotter la poitrine de Jean avec des herbes magiques, et une autre bosse paraît aussitôt.

Le pauvre Jean rentre chez lui avec deux bosses, une par devant et une autre par derrière. Quelle surprise pour sa pauvre femme!

LE SAVANT MÉDECIN

La femme du médecin *L'épicier*
Le médecin *Le tailleur*
La femme du boulanger *Le voisin*
La femme du tailleur *La voisine*

Un médecin et sa femme demeurent dans une petite ville. Le médecin n'a pas de cheval, il n'a pas de voiture, il n'a pas de domestique, parce qu'il n'a pas d'argent. Il n'a pas d'argent, parce qu'il n'a pas de clients. Sa femme désire des robes de soie, des souliers neufs et des bijoux. Mais elle ne porte que des robes 5 ordinaires et des souliers usés. Elle n'a pas de bijoux, parce que les bijoux coûtent beaucoup d'argent. Il y a beaucoup de malades dans la petite ville, qui discutent leurs maladies tout le temps. Mais ils ne vont jamais consulter le médecin.

Un jour la femme du médecin dit à son mari: 10
— Nous sommes très pauvres. Nous n'avons pas de cheval, nous n'avons pas de voiture et nous n'avons pas de domestique, parce que nous n'avons pas d'argent. Nous n'avons pas d'argent parce que vous n'avez pas de clients. Je désire une robe de soie et des souliers neufs, mais je ne porte que des robes ordinaires 15 et des souliers usés. Pourquoi n'avez-vous pas de clients comme les autres médecins?

Le médecin répond:
— Ma chère femme, j'ai une bonne idée. Je vais avoir des clients bientôt. 20

Le lendemain, à midi, le médecin prend un grand livre, et il sort de la maison. Il marche lentement dans la rue principale de la ville, et il lit dans son grand livre. Il rencontre la femme du boulanger et la femme du tailleur, qui lui disent:
— Bonjour, monsieur le docteur, — mais il ne répond pas. 25
Il continue à marcher lentement et à lire dans le grand livre.

23

De temps en temps il ferme son livre, et il prononce à haute voix des mots grecs et des mots latins. Il continue à se promener et à lire dans son grand livre, puis il rentre à la maison.

Il sort de la maison tous les jours, à midi, et il se promène lente-
5 ment dans la rue principale de la ville. L'épicier et le tailleur, qu'il rencontre, lui disent:

— Bonjour, monsieur le docteur, — mais le médecin ne leur répond jamais. Il continue à se promener et à prononcer à haute voix des mots grecs et des mots latins.

10 Au bout de quelques jours, tous les habitants de la petite ville commencent à parler du médecin.

L'épicier, qui a mal à l'estomac, dit à son voisin:

— J'ai mal à l'estomac. Je crois que notre médecin peut me guérir. Je vais le consulter.

15 Son voisin lui dit:

— Vous avez raison. Allez consulter notre savant méde-cin.

La femme du boulanger, qui a mal à la tête, dit à sa voi-sine:

20 — J'ai mal à la tête. Je crois que notre médecin peut me guérir. Je vais le consulter tout de suite.

Sa voisine lui dit:

— Vous avez raison. Allez consulter notre savant médecin.

Le tailleur, qui a mal aux yeux, dit à sa femme:

25 — J'ai mal aux yeux. Je vais consulter notre savant médecin qui sait le grec et le latin.

Sa femme lui dit:

— Oui, vous avez raison. Allez consulter notre savant médecin.

30 L'épicier, la femme du boulanger et le tailleur vont tout de suite consulter le médecin. Le médecin demande à l'épicier:

— Qu'est-ce que vous avez, mon ami?

L'épicier répond:

— J'ai mal à l'estomac.

35 Le médecin lui dit:

24

BOULANGERIE

Kuot
et
Fils

85506

— Prenez ces pilules noires. Elles vont guérir votre mal d'estomac.

L'épicier prend les pilules noires et dit:

— Merci, monsieur le docteur.

5 Il donne dix francs au médecin et il s'en va content.

Le médecin demande alors à la femme du boulanger:

— Qu'est-ce que vous avez, madame?

La femme du boulanger répond:

— J'ai mal à la tête.

10 Le médecin lui dit:

— Prenez ces pilules roses. Elles vont guérir votre mal de tête.

La femme du boulanger prend les pilules roses et dit:

— Je vous remercie, monsieur le docteur.

15 Elle donne quinze francs au médecin et elle s'en va contente.

Le médecin demande ensuite au tailleur:

— Qu'est-ce que vous avez, vous aussi?

Le tailleur répond:

— J'ai mal aux yeux.

20 Le médecin lui dit:

— Prenez ces pilules blanches. Elles vont guérir vos yeux.

Le tailleur prend les pilules blanches et dit:

— Je vous remercie beaucoup, monsieur le docteur.

Il donne vingt francs au médecin, et il s'en va content.

25 Beaucoup de malades vont consulter le médecin, et le médecin leur donne des pilules de différentes couleurs. Les malades prennent les pilules, ils donnent beaucoup d'argent au savant médecin qui sait le grec et le latin, et ils s'en vont à la maison.

Le médecin et sa femme demeurent maintenant dans une 30 grande maison. Ils ont deux domestiques, une voiture et deux beaux chevaux. La femme du médecin porte une robe de soie, des bijoux et des souliers neufs tous les jours.

L'épicier dit à son voisin:

— Je prends des pilules noires tous les jours, mais j'ai toujours 35 mal à l'estomac.

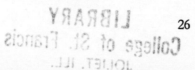

La femme du boulanger dit à sa voisine:

— Je prends des pilules roses tous les matins, mais j'ai toujours mal à la tête.

Le tailleur dit à sa femme:

— Je prends des pilules blanches tous les soirs, mais j'ai toujours 5
mal aux yeux.

LA FOIRE DE PERPIGNAN

La femme   *Pierre*   *Un paysan*

Pierre et sa femme sont des paysans qui demeurent dans une petite ferme près de la ville de Perpignan. Pierre travaille beaucoup, mais il est très stupide. La femme, qui est plus intelligente que son mari, lui dit un jour:

5   — Aujourd'hui c'est la foire de Perpignan. Allez à la foire. Les ânes sont bon marché cette année. Achetez-en cinq ou six. Nous pouvons les vendre plus cher l'année prochaine et gagner beaucoup d'argent.

Pierre répond à sa femme:

10   — Vous avez raison, ma femme. Les ânes sont très bon marché cette année. Je vais en acheter cinq ou six. Nous pouvons les vendre plus cher l'année prochaine.

Pierre va à Perpignan acheter des ânes et voir ses amis. Comme les ânes sont très bon marché, Pierre en achète six. Il mène les
15 ânes devant lui en criant:

— Hue, bourriques, hue! — Puis il se dit:

— Maintenant, je vais retourner à la maison avec mes ânes. Ils sont bon marché cette année et j'en ai acheté six. Ma femme va être très contente.

20   Il marche derrière ses bêtes, un petit bâton à la main. Il veut aller très vite, mais les ânes marchent lentement. Ces animaux sont des poètes qui admirent les beautés de la nature. De temps en temps Pierre compte ses ânes.

— Un, deux, trois, quatre, cinq, six. C'est juste. Il n'en
25 manque aucun. Hue, bourriques, hue!

Au bout de quelque temps, Pierre est fatigué de marcher derrière ses bêtes et il se dit:

28

— Comme je suis bête de marcher! Je vais monter sur un des ânes.

Il monte sur le plus grand des ânes et il continue son chemin, heureux comme un roi. Il se dit:

— Mes six ânes m'ont coûté deux cents francs. C'est très bon 5 marché. Le prix des ânes va monter. L'année prochaine je vais les vendre trois cents francs. Hue, bourriques, hue!

Les ânes marchent lentement. Ils s'arrêtent de temps en temps au milieu du chemin, comme des philosophes qui méditent. Ou bien ils regardent à droite et à gauche, comme des poètes qui 10 admirent les beautés de la nature. Pierre se dit:

— J'espère qu'il n'en manque aucun.

Et il compte encore ses ânes:

— Un, deux, trois, quatre, cinq . . . Il n'y en a que cinq! Il en manque un. 15

Pierre, qui n'est pas très intelligent, a oublié de compter l'âne sur lequel il est monté. Il compte encore ses bêtes, mais il n'en trouve que cinq. Pierre se demande:

— Où est mon autre âne?

Il cherche à droite, à gauche, devant, derrière. Il ne trouve 20 pas le sixième âne. A un paysan qui passe il dit:

— J'ai perdu un de mes ânes. Est-ce que vous l'avez vu?

Le paysan lui répond:

— Non, je ne l'ai pas vu, — et il continue son chemin.

Pierre se dit: 25

— J'ai perdu un âne. Je n'en ai plus que cinq. Je n'ose pas rentrer à la maison. J'ai peur de ma femme.

Cependant il continue son chemin, et il arrive très tard à la maison. Sa femme l'attend devant la porte.

— Vous arrivez bien tard, Pierre! Combien d'ânes avez-vous 30 achetés?

Pierre n'ose pas descendre de son âne parce qu'il a peur de sa femme. Il lui répond:

— J'ai acheté six ânes, mais j'en ai perdu un. Maintenant il n'y en a que cinq. 35

29

La femme compte les ânes, et elle dit:

— Mais, vous en avez six! Pourquoi dites-vous qu'il n'y en a que cinq?

Et Pierre répond:

— Non, ma femme, il n'y en a que cinq. Je les ai comptés 5 souvent. Il en manque un, je vous dis.

Alors sa femme lui dit:

— Vous n'en voyez que cinq parce que vous êtes monté sur un des ânes. Mais moi j'en vois sept. Comme vous êtes bête!

LES HUÎTRES ET LE CHEVAL

Le Gascon
Un voyageur
Un deuxième voyageur

Un troisième voyageur
Un quatrième voyageur
Le garçon

Un Gascon, qui voyage à cheval, arrive un soir à une auberge. C'est l'hiver et il fait très froid. Le Gascon met son cheval à l'écurie et il entre dans l'auberge. Le Gascon a froid et il désire se chauffer. Il y a un bon feu dans la salle. Mais autour du feu,
5 il y a beaucoup de voyageurs, assis près de la cheminée. Le Gascon a froid aux mains et aux pieds. Il veut s'approcher du feu pour se chauffer. Mais il n'y a pas de place autour du feu.

Le Gascon dit en entrant:

— Bonsoir, messieurs.

10 Tous les voyageurs lui répondent:

— Bonsoir, monsieur.

Le Gascon dit:

— Il fait froid ce soir.

Un des voyageurs répond:

15 — Oui, il fait très froid.

Un deuxième voyageur lui demande:

— Où allez-vous?

Le Gascon répond:

— Je vais à Bordeaux.

20 Un troisième voyageur lui demande:

— Vous allez à Bordeaux à pied?

Le Gascon répond:

— Oh, non! Je ne vais pas à pied. Je vais à cheval. Mais il fait très froid. J'ai froid aux mains et aux pieds.

25 Un quatrième voyageur dit:

— Il fait chaud ici. Nous avons chaud près du feu.

Mais personne ne se lève pour lui faire place près du feu. Le

Gascon s'assoit seul derrière les autres voyageurs. Au bout de quelque temps il appelle le garçon:

— Garçon!

Le garçon vient et dit:

— Oui, monsieur.   5

— Garçon, préparez une douzaine d'huîtres et donnez-les à mon cheval.

— Plaît-il, monsieur?

— Portez une douzaine d'huîtres à mon cheval qui est à l'écurie et qui a faim. Il a soif aussi. Donnez-lui une bouteille de vin. 10

— Monsieur, je vous demande pardon, mais les chevaux ne mangent pas d'huîtres et ne boivent pas de vin. Je vais donner du foin et de l'eau à votre cheval, si vous voulez.

— Garçon, vous m'entendez? Donnez une douzaine d'huîtres et une bouteille de vin à mon cheval. Mon cheval a faim et il 15 a soif.

— Oui, monsieur.

Le garçon porte aussitôt les huîtres et le vin au cheval du Gascon. Tous les voyageurs, assis près du feu, se lèvent aussitôt. Un des voyageurs dit: 20

— Allons voir le cheval manger des huîtres et boire du vin! — et ils vont tous à l'écurie.

Le Gascon se lève aussi, mais il ne va pas à l'écurie. Il s'approche de la cheminée, s'assoit à la meilleure place, et se chauffe les mains et les pieds devant le feu.   25

Au bout de quelque temps, le garçon revient de l'écurie.

— Monsieur, je vous demande pardon, mais votre cheval ne veut pas manger les huîtres et il ne veut pas boire le vin.

Le Gascon dit:

— Vraiment? Eh bien! donnez-lui du foin et de l'eau. Moi, 30 je vais manger les huîtres, parce que j'ai faim. Je vais boire aussi le vin, parce que j'ai soif.

Les autres voyageurs reviennent de l'écurie pour reprendre leur place près du feu.

Un des voyageurs dit au Gascon: 35

— Il fait très froid ce soir. J'ai froid.

Le Gascon répond:

— Il fait très chaud ici. Moi, j'ai chaud près du feu.

Mais il ne se lève pas et il garde la meilleure place près de la cheminée. Il dit aux voyageurs: 5

— Permettez-moi, messieurs, de manger ces huîtres et de boire ce vin devant ce bon feu.

LE PARTAGE DU FROMAGE

Le chat noir   La cuisinière
Le chat blanc   Le singe

Dans une maison il y a deux chats et un singe. Un des chats est noir comme du charbon, et l'autre est blanc comme de la neige.

Un jour le chat noir dit au chat blanc:

5 — J'ai bien faim. Je n'ai rien mangé aujourd'hui. Allons chercher du fromage dans la cuisine. La cuisinière vient de sortir.

Le chat blanc lui dit:

— Moi, j'ai bien soif. Je n'ai rien bu aujourd'hui. Allons chercher du lait.

10 Les deux chats entrent dans la cuisine. Ils trouvent du lait qu'ils boivent tout de suite. Ils trouvent aussi un morceau de fromage.

A ce moment la cuisinière rentre. Elle chasse les deux chats avec son balai en disant:

15 — Allez-vous-en, vilains chats. Allez! Allez!

Les deux chats se sauvent avec le morceau de fromage. Quand ils sont tout seuls, le chat noir dit à son compagnon:

— Voilà un bon morceau de fromage. Mangeons-le tout de suite.

20 Le chat blanc lui dit:

— Mais, il faut d'abord le partager en deux parties égales.

— Oui, oui, partageons-le en deux parties égales et mangeons-le tout de suite. J'ai bien faim.

Mais les deux chats, comme tous les voleurs, n'ont pas con-
25 fiance en leur probité. Le chat blanc dit:

— Nous ne pouvons pas partager ce morceau de fromage en deux parties égales. Demandons au singe de faire le partage. Le singe est un bon juge.

Le chat noir dit:

— Oui, allons trouver le singe et demandons-lui de partager notre morceau de fromage. Nous pouvons avoir confiance en sa probité.

Ils vont trouver le singe. Le chat blanc lui dit: 5

— Monsieur le singe, voulez-vous nous rendre un service? Nous avons confiance en votre probité. Faites deux parties égales de notre fromage, s'il vous plaît.

Le singe répond:

— Avec plaisir, mes chers amis. Je veux bien vous rendre 10 service. Entrons dans la cuisine; la cuisinière vient de sortir. Nous allons peser le fromage dans la balance.

Le singe et les deux chats entrent dans la cuisine.

Le singe coupe le morceau de fromage en deux parties. Il pèse ces deux parties dans la balance, et dit: 15

— Ce morceau-ci pèse plus que ce morceau-là.

Le juge mange une bouchée du morceau le plus lourd. Il pèse encore les deux parties dans la balance, et dit:

— Ah! Ce morceau-ci pèse maintenant moins que l'autre.

Puis il mange une bouchée de l'autre morceau. Il pèse encore 20 les deux morceaux de fromage, et dit:

— Les deux parties ne sont pas encore égales. Ce morceau-là est trop léger maintenant.

Puis il mange encore une bouchée du morceau le plus lourd. Il continue à peser le fromage, mais un des morceaux est toujours 25 plus lourd ou plus léger que l'autre, et chaque fois le singe en mange une bouchée.

A la fin le chat noir lui dit:

— Monsieur le juge, les deux parties ne sont pas absolument égales, mais ça ne fait rien. 30

Le chat blanc dit aussi:

— Non, ça ne fait rien. Donnez-nous notre fromage, s'il vous plaît.

Le singe dit:

— Mes amis, un juge doit recevoir son salaire. Vous me 35

devez quelque chose pour partager votre fromage. Je prends le reste pour mon salaire. La justice est satisfaite.

A ce moment la cuisinière rentre dans la cuisine. Elle chasse les trois animaux avec son balai en disant:

— Allez-vous-en, vilaines bêtes. Allez! Allez!   5

Le singe se sauve avec le reste du fromage.

Les deux chats se sauvent aussi, et quand ils sont tout seuls le chat blanc dit:

— La justice est satisfaite, mais moi, j'ai encore faim.

Le chat noir dit aussi: 10

— Oui, oui, la justice est satisfaite, mais mon appétit n'est pas encore satisfait. Allons chercher un autre morceau de fromage et mangeons-le tout seuls.

— Oui, mangeons-le tout seuls. Nous n'avons pas besoin de juge pour le partager. Si les deux parties ne sont pas absolument 15 égales, ça ne fait rien.

— Non, non, ça ne fait rien. Je n'ai pas confiance en la justice.

LA CHASSE AU LAPIN

Les enfants   *Le petit lapin*
Monsieur Hubert   *Le grand lapin*
Le premier lapin   *Le bûcheron*

Monsieur Hubert est un grand chasseur. Dans la petite ville
où il demeure, tout le monde connaît monsieur Hubert. En le
voyant passer dans la rue, les enfants disent avec admiration:

— Voilà le grand chasseur!

5   La maison de monsieur Hubert est pleine de fusils. Il y a des
fusils français, anglais, américains, allemands, italiens, espagnols,
russes, hollandais, belges, suisses, — il y a des fusils de presque
tous les pays du monde chez monsieur Hubert.

Un matin monsieur Hubert invite ses amis à dîner chez lui.
10 Il leur dit:

— Venez dîner chez moi ce soir. Je vais à la chasse aujourd'hui.
Je vais tuer un grand lapin, et nous allons le manger ensemble.

Monsieur Hubert prend un grand fusil et il va à la chasse.
En le voyant passer dans la rue, les enfants disent avec admiration:

15   — Voilà le grand chasseur qui va à la chasse!

Monsieur Hubert traverse la petite ville et bientôt il arrive à
la campagne. Il entre dans un petit bois, où il y a beaucoup de
lapins. Les lapins connaissent bien monsieur Hubert, parce
qu'il vient souvent à la chasse dans le petit bois. Quand il arrive,
20 le premier lapin qui le voit dit:

— Attention! Le grand chasseur est dans le bois!

Les lapins ont peur de monsieur Hubert, parce que son fusil
fait beaucoup de bruit. Quand ils voient le grand chasseur,
ils se cachent dans leurs trous.

25   Monsieur Hubert se cache derrière un arbre, et il attend sans
faire de bruit. Il attend longtemps, parce que tous les lapins
savent qu'il est dans le bois. Les lapins ont peur de son grand fusil

et ils se cachent dans leurs trous. Mais le temps passe et les lapins ont bientôt faim.

Un petit lapin dit à ses camarades:

—J'ai faim. Je vais aller manger des choux dans le champ voisin. Je n'ai pas peur. 5

Le petit lapin sort de son trou et il passe en courant devant monsieur Hubert. Le grand chasseur tire, mais il manque le lapin, qui se sauve à toutes jambes. Le fusil fait beaucoup de bruit. Tous les lapins ont peur et ils restent cachés dans leurs trous. 10

Monsieur Hubert attend encore longtemps. Un grand lapin, qui a faim aussi, dit à ses camarades:

—J'ai faim. Je vais aller manger des carottes dans le champ voisin. Je n'ai pas peur.

Le grand lapin sort de son trou, et il passe en courant devant 15 monsieur Hubert. Le grand chasseur tire, mais il manque le lapin, qui se sauve à toutes jambes.

Le fusil fait beaucoup de bruit. Les autres lapins ont peur et ils restent cachés dans leurs trous. Monsieur Hubert attend encore longtemps. Mais le temps passe, et le soir vient. Pour- 20 tant monsieur Hubert n'a pas de lapin, et ses amis vont venir bientôt dîner chez lui. Il doit rentrer chez lui pour recevoir ses amis. Le grand chasseur se dit:

—Il me faut absolument un lapin pour mes amis. Je connais un bûcheron qui demeure près d'ici et qui possède un beau lapin. 25 Je vais acheter ce lapin.

Il va aussitôt chez le bûcheron.

—Bonjour, mon ami.

—Bonjour, monsieur Hubert.

—Combien voulez-vous pour votre lapin? 30

—Je ne veux pas le vendre. C'est un très beau lapin. Mes enfants s'amusent avec lui.

—Mon ami, je vous donne dix francs pour votre lapin.

—Ce n'est pas assez.

—Alors, combien voulez-vous? 35

— Je ne veux pas le vendre, je vous dis. C'est un beau lapin, qui vaut au moins vingt francs.

— Voilà vingt francs. Donnez-le-moi.

Le bûcheron est très pauvre. Vingt francs, c'est une petite fortune pour lui. Le bois est plein de lapins. Il peut en attraper 5
un autre sans difficulté. Il dit donc au chasseur:

— Je vous le laisse à ce prix, parce que vous êtes mon ami.

Monsieur Hubert prend le lapin et dit:

— Au revoir.

Le bûcheron répond: 10

— Au revoir, monsieur Hubert, et merci.

Le grand chasseur continue son chemin vers la ville. Il se dit:

— Ce lapin me coûte très cher. Il ne vaut pas vingt francs. Il ne vaut pas même dix francs. Mais ma réputation vaut beaucoup plus, et maintenant j'ai un beau lapin pour mes amis. 15

Avant d'entrer dans la petite ville, monsieur Hubert s'arrête au bord du chemin. Il attache le lapin à un arbre avec une corde. Puis il prend son grand fusil et il tire. Malheureusement il manque le lapin, et la balle coupe la corde. Le lapin se sauve à toutes jambes. 20

Monsieur Hubert continue son chemin vers la ville. Mais il est furieux, parce qu'il n'a pas de lapin. Il se dit:

— Mes amis vont venir dîner chez moi ce soir. Mais je n'ai pas de lapin pour eux.

En ce moment monsieur Hubert voit un chat gris qui passe 25
sur le chemin. Il tire, et il tue le chat, qu'il met dans son sac.

En le voyant passer dans la rue, les enfants disent avec admiration:

— Voilà le grand chasseur qui revient de la chasse. Il a un grand lapin dans son sac. 30

Le soir, lorsque ses amis viennent dîner chez lui, monsieur Hubert leur dit:

— Mes amis, j'ai toujours bonne chance quand je vais à la chasse. Nous allons manger maintenant un magnifique lapin, gros comme un chat. A table, mes amis! A table! 35

LA REVANCHE DE MÉDOR

René   *Gaston*   *Médor*

Médor est un bouledogue intelligent, très dévoué à son maître. Le maître, qui s'appelle René, aime beaucoup son chien et il en prend bien soin.

Quand René travaille dans sa chambre, Médor se couche
5 toujours dans le fauteuil près de la cheminée. Il ferme les yeux et s'endort tranquillement.

René a un ami qui s'appelle Gaston. Quand Gaston vient voir René, il frappe à la porte. Médor se réveille aussitôt. René dit:

— Entrez.

10 Gaston entre, le chien se lève et va au devant du visiteur. René dit à son ami:

— Bonjour, Gaston.

Gaston répond:

— Bonjour.

15 — Comment allez-vous?

— Très bien, merci. Et vous?

— Ça va bien. Assoyez-vous donc.

Le visiteur s'assoit et le maître dit à son chien:

— Médor, donnez la patte au monsieur.

20 Le chien donne la patte au visiteur.

— Médor, dites bonjour au monsieur.

Le chien aboie trois fois comme pour dire: Comment allez-vous? — puis il se couche dans le fauteuil près de la cheminée et s'endort.

25 Un jour René est obligé de partir pour un long voyage. Comme il ne peut pas emmener Médor avec lui, il va chez Gaston avec son chien. Il dit à son ami:

— Je vais partir pour un long voyage et je ne peux pas emmener

mon chien avec moi.   Voulez-vous bien prendre soin de Médor
pendant mon absence?

Son ami lui répond:

— Je veux bien.   Médor est un bon chien.   Je vais en prendre
5 bien soin.

René dit:

— Merci, mon ami.   Au revoir.

Gaston répond:

— Il n'y a pas de quoi.   Au revoir.

10 René part et Médor reste dans la chambre de son nouveau
maître.   Le chien voit un fauteuil près de la cheminée.   Il se
couche aussitôt dans le fauteuil, ferme les yeux et s'endort.   Mais
le nouveau maître aime trop son fauteuil pour le donner au chien.
Gaston, qui est fatigué et qui veut se reposer, lui dit:

15 — Médor, levez-vous.   Donnez-moi mon fauteuil.   Prenez
cette chaise, ou bien couchez-vous sur le plancher.   Je suis
fatigué et je veux me reposer.

Médor fait semblant de dormir, et il ne bouge pas de sa place.
Alors Gaston a une bonne idée.   Il court vers la fenêtre, regarde
20 dans le jardin et se met à crier très fort:

— Au chat! au chat!

Médor, qui déteste les chats, se lève aussitôt.   Il se met à aboyer
très fort et court vers la fenêtre.   Alors Gaston s'assoit tranquillement dans le fauteuil.

25 Le chien regarde par la fenêtre, mais il ne voit aucun chat dans
le jardin.   Il revient à sa place, et il voit son nouveau maître
assis tranquillement dans le fauteuil.   Le chien ne veut pas s'asseoir
sur une chaise ordinaire.   Il se couche sur le plancher, ferme les
yeux et fait semblant de dormir.   Il cherche un moyen de prendre
30 sa revanche.

Au bout de quelque temps, Médor s'aperçoit que son nouveau
maître dort tranquillement dans le fauteuil.   Le chien se dit:

— Voilà le moment de prendre ma revanche.

Il se lève aussitôt et se met à aboyer très fort.   Il court vers la
35 fenêtre et regarde dans le jardin.   Gaston se réveille, se lève du

fauteuil et court aussi vers la fenêtre. Le chien se couche aussitôt dans le fauteuil à la place de son maître. Gaston regarde par la fenêtre, mais il ne voit personne dans le jardin. Il revient à sa place, et il voit Médor couché dans le fauteuil. Il dit au chien:

— Médor, levez-vous. Prenez une autre chaise, ou bien 5 couchez-vous sur le plancher.

Médor ne bouge pas. Il fait semblant de dormir.

LE CHARLATAN

Le charlatan	*Un malade*
Le roi	*Un deuxième malade*
Le héraut	*Quatre malades*
Le serviteur	

Un jour un charlatan se présente au roi et lui dit:

— Sire, je suis un grand médecin.   Je peux guérir tous les malades de votre royaume.

Le roi lui répond:

5 — Il y a beaucoup de malades dans mon royaume.   Je promets de vous donner beaucoup d'argent si vous les guérissez.   Mais si vous ne les guérissez pas, je vais donner l'ordre de vous couper la tête.

Le charlatan dit:

10 — J'accepte les conditions.

Alors le roi dit à son héraut:

— Invitez tous les malades du royaume à venir consulter le grand médecin.

Le héraut sonne la trompette et crie:

15 — Le roi invite tous les malades du royaume à venir à son palais consulter le plus grand médecin du monde.

Tous les malades du royaume viennent aussitôt au palais.   Le charlatan dit à un serviteur du roi:

— Allumez un bon feu dans la plus grande salle du palais.

20 Le serviteur allume un bon feu dans la cheminée.   Le charlatan dit alors:

— Laissez-moi seul avec ces malades.

Puis il dit aux malades:

— Entrez tous dans la grande salle.

25 Quand il est seul avec les malades, il leur dit:

— Mes amis, je suis le plus grand médecin du monde.   Je

48

peux guérir toutes les maladies. Je promets de vous guérir tous si vous prenez mon remède. Voulez-vous le prendre?

Tous les malades lui répondent:

— Oui, oui, nous voulons prendre votre remède.

5 — Très bien. Maintenant je vais choisir le plus malade de tous, et je vais le jeter dans ce feu. Avec ses cendres je vais préparer le remède.

Alors le charlatan dit à un des malades:

— Mon ami, vous avez l'air le plus malade de tous.

10 Ce malade répond:

— Moi? Pas du tout. Je ne suis pas malade. Je me porte très bien.

— Vous vous portez bien? Alors, qu'est-ce que vous faites ici? Sortez! Vite!

15 Le pauvre homme sort aussitôt de la salle. Le roi, qui attend dans le vestibule, lui demande:

— Êtes-vous guéri, mon ami?

— Oui, sire, je suis complètement guéri, — et il sort aussitôt du palais.

20 Le médecin dit à un deuxième malade:

— Mon ami, vous avez l'air le plus malade de tous dans cette salle.

— Moi? Je me porte très bien. Je ne suis pas du tout malade.

— Si vous vous portez bien, qu'est-ce que vous faites ici?

25 Sortez! Vite!

L'homme sort aussitôt de la salle. Quand il passe dans le vestibule, le roi lui demande:

— Eh bien, comment allez-vous maintenant, mon brave homme?

30 — Sire, ça va beaucoup mieux, — et il sort aussitôt du palais.

Un troisième malade sort de la salle, puis un quatrième, puis un cinquième, et chacun déclare au roi qu'il est parfaitement guéri.

Bientôt tous les autres malades sortent de la salle, en criant 35 l'un après l'autre:

— Je suis guéri! — Ça va bien! — Je me porte très bien! —
Je ne suis plus malade!

Et chacun retourne à la maison le plus vite possible.

Enfin le médecin sort aussi de la salle et dit au roi:

— Sire, tout le monde est guéri. Il n'y a plus de malades dans 5
votre royaume.

L'AVARE

Monsieur Grigou   *La cuisinière*   *Le domestique*

Monsieur Grigou est riche, mais il est très avare. Il ne veut jamais dépenser un sou.

Comme Harpagon, dans la comédie de Molière, il a pour devise: « Il faut manger pour vivre et non pas vivre pour
5 manger ».

Quand la cuisinière lui demande:

— Faut-il acheter de la viande aujourd'hui, monsieur? — l'avare répond:

— Non, n'achetez pas de viande; la viande coûte trop cher.
10 Achetez-moi du poisson, qui est meilleur marché.

Si la cuisinière met trop de sel dans la soupe, monsieur Grigou lui dit:

— Vous gaspillez mon sel. Vous allez me ruiner. Le sel coûte très cher.

15 Et quand il fait froid, si le domestique lui demande:

— Faut-il faire du feu? — monsieur Grigou répond:

— Non, ne faites pas de feu. Il ne fait pas assez froid. Il ne faut pas gaspiller mon bois.

Quand le domestique balaie le plancher, monsieur Grigou lui
20 dit:

— Ne balayez pas si fort. Vous allez user mon plancher.

Monsieur Grigou ne donne jamais de viande ni de poisson à son domestique. Il lui donne seulement du pain et du fromage. La cuisinière mange quelquefois un peu de viande ou de poisson
25 quand elle est seule à la cuisine.

Un jour le domestique dit à son maître:

— Je n'ai pas assez à manger dans cette maison. Il me faut plus de nourriture.

— Qu'est-ce que la cuisinière vous donne à manger?

— Elle me donne très peu et c'est toujours la même chose. Elle me donne seulement du pain et du fromage. Ce n'est pas assez, et il n'y a pas de variété.

Monsieur Grigou dit:

5 — La devise de cette maison est: « Il faut vivre pour manger et non pas manger pour vivre ». Non, ce n'est pas ça. Je veux dire: « Il faut manger pour vivre et non pas vivre pour manger ».

— Oui, mais je suis si faible que je ne peux pas balayer le plancher. Il me faut plus de nourriture, monsieur.

10 — Non, il ne vous faut pas plus de nourriture. Vous balayez toujours trop fort et vous usez mon plancher.

Monsieur Grigou appelle la cuisinière:

— Fanchon, venez ici. Mon domestique dit qu'il lui faut plus de nourriture et plus de variété. Qu'est-ce que vous lui donnez
15 à manger?

La cuisinière répond:

— Monsieur, je lui donne assez de nourriture et il y a aussi de la variété. Un jour je lui donne du pain et du fromage et l'autre jour je lui donne du fromage et du pain.

20 — C'est assez, mais il lui faut plus de variété. Vous lui donnez toujours du pain et du fromage. Il faut lui donner du pain un jour et l'autre jour du fromage.

LA PLUIE ET LE BEAU TEMPS

Le curé	*Thomas*
Antoine	*Joseph*
Mathieu	*Louise*
Catherine	*Julien*

Il ne pleut pas assez et le blé ne pousse pas bien. Les paysans ont besoin de pluie. Ils vont perdre leur récolte s'il ne pleut pas bientôt, parce que le temps est trop sec. Un dimanche tous les paysans de la paroisse viennent à l'église pour demander de la pluie. 5

Ils disent au curé:

— Bonjour, monsieur le curé.

Le curé leur répond:

— Bonjour, mes amis.

Un des paysans, qui s'appelle Antoine, dit: 10

— Il ne pleut pas assez cette année, et notre blé ne pousse pas bien. Nous voulons de la pluie.

— Vous voulez de la pluie? Très bien, mes amis. Je vais dire une prière pour demander de la pluie.

Tous les paysans disent: 15

— Merci, monsieur le curé.

Le curé dit:

— Vous pouvez avoir de la pluie, mais à une condition.

Antoine demande:

— A quelle condition, monsieur le curé? 20

Le curé répond:

— Tout le monde doit désirer de la pluie le même jour. Si tout le monde n'est pas d'accord sur ce point, vous ne pouvez pas avoir de pluie. Voyons. Aujourd'hui c'est dimanche. Voulez-vous de la pluie aujourd'hui? 25

Un jeune homme, qui s'appelle Mathieu, dit:

— Oh non, monsieur le curé, pas aujourd'hui. Aujourd'hui c'est dimanche. Les jeunes gens veulent du beau temps pour danser et se promener après la messe.

Le curé dit:

5 — Tant pis! Vous ne pouvez pas avoir de pluie aujourd'hui, parce que tout le monde n'est pas d'accord sur le jour. Les jeunes gens veulent danser et se promener après la messe. Voulez-vous de la pluie demain? Demain c'est lundi.

Une des paysannes, qui s'appelle Catherine, dit:

10 — Oh non, monsieur le curé, pas demain. Demain c'est lundi, et toutes les femmes veulent du beau temps pour faire la lessive.

Le curé dit:

— Eh bien, tant pis! Tout le monde n'est pas d'accord sur le jour. Vous ne pouvez pas avoir de pluie demain, parce que les 15 femmes veulent faire la lessive. Après-demain, c'est mardi. Voulez-vous de la pluie mardi?

Un paysan, qui s'appelle Thomas, dit:

— Oh non, monsieur le curé, pas mardi. Je dois aller au marché vendre une vache. Je veux du beau temps mardi, 20 parce qu'il y a peu d'acheteurs quand il pleut.

Le curé dit:

— Eh bien, tant pis! Tout le monde n'est pas d'accord sur le jour. Vous ne pouvez pas avoir de pluie mardi, parce que Thomas veut aller au marché vendre une de ses vaches. Voulez-25 vous de la pluie mercredi?

Un autre paysan, qui s'appelle Joseph, dit:

— Oh non, monsieur le curé, pas mercredi. Je dois couper mon foin mercredi. On ne peut pas couper le foin quand il pleut.

30 Le curé dit:

— Tant pis! Tout le monde n'est pas d'accord sur le jour. Vous ne pouvez pas avoir de pluie mercredi, parce que Joseph veut couper son foin ce jour-là. Voyons. Le jour après, c'est jeudi. Voulez-vous de la pluie jeudi?

35 Une jeune paysanne, qui s'appelle Louise, dit:

— Oh non, monsieur le curé, pas jeudi. Je vais me marier ce jour-là, et je veux du beau temps pour la noce.

Le curé dit:

— Ah, tant pis! Tout le monde n'est pas d'accord sur le jour. 5 Vous ne pouvez pas avoir de pluie jeudi, parce que Louise va se marier ce jour-là, et elle veut du beau temps pour la noce. Voyons. Il y a encore deux jours, vendredi et samedi. Voulez-vous de la pluie vendredi?

Un autre paysan, qui s'appelle Julien, dit:

10 — Oh non, monsieur le curé, pas vendredi. Je vais tuer mon cochon vendredi, parce qu'il y a pleine lune ce jour-là. Je veux du beau temps pour saler la viande et pour faire des saucisses.

Le curé dit:

— Eh bien, tant pis! Tout le monde n'est pas d'accord sur le 15 jour. Vous ne pouvez pas avoir de pluie vendredi parce que Julien veut du beau temps ce jour-là pour tuer son cochon. Voyons, mes amis! Il n'y a plus qu'un jour. Voulez-vous de la pluie samedi?

Tout le monde dit:

20 — Oh non, monsieur le curé, pas samedi. C'est le jour du cirque, samedi. Nous voulons du beau temps pour aller au cirque.

Le curé dit:

— Mes amis, vous ne voulez pas de pluie samedi? Eh bien, 25 tant pis! C'est le dernier jour. Alors vous ne pouvez pas avoir de pluie cette semaine.

Antoine dit:

— Mais, monsieur le curé, nous avons absolument besoin de pluie. Le blé ne pousse pas, parce que le temps est trop sec. S'il 30 ne pleut pas bientôt, nous allons perdre notre récolte.

Le curé dit:

— Eh bien, mes amis, venez tous à l'église dimanche prochain. Si la semaine prochaine tout le monde est d'accord, alors je vais dire une prière pour demander de la pluie.

LA FEMME REVÊCHE MISE
A LA RAISON

Le mari   *La femme*   *Un diable*

Une femme revêche se querelle toujours avec son mari.
Quand son mari lui demande de faire quelque chose, elle fait
toujours le contraire. Le matin, quand son mari lui dit:

— Ma femme, il est tard; il est temps de déjeuner; levez-vous,
je vous prie, — elle lui répond: 5

— Non, je ne veux pas me lever, — et elle reste au lit jusqu'à
midi pour contrarier son mari.

Le soir, quand son mari lui dit:

— Ma femme, il est temps de vous coucher; il est tard, —
elle lui répond: 10

— Non, je ne veux pas me coucher. Il est encore trop tôt, —
et pour contrarier son mari elle reste assise dans son fauteuil et
lit un roman jusqu'à minuit. Alors elle se dit:

— Il est minuit. Maintenant je vais me coucher.

Un jour le mari dit à sa femme: 15

— Ma chère femme, j'aime beaucoup le poulet rôti. Voulez-
vous préparer un poulet rôti pour le dîner?

La femme dit:

— Moi, je n'aime pas le poulet rôti. Je vais préparer un ragoût.

Un jour le mari dit à sa femme: 20

— Je vais me promener dans la forêt.

Il va se promener dans la forêt. Au milieu de la forêt il aperçoit
un grand trou. Le trou est très profond et très dangereux.

Quand le mari rentre à la maison, il dit à sa femme:

— N'allez pas vous promener dans la forêt. Il y a là-bas un 25
grand trou qui est très profond et très dangereux.

Pour contrarier son mari, la femme va se promener dans la

forêt. Elle cherche le grand trou et le trouve sans difficulté. Elle se penche en avant pour voir le fond, et elle tombe dans le trou.

Comme elle ne rentre pas à la maison, le mari est très inquiet, et il va la chercher dans la forêt. Il arrive près du trou et il appelle sa femme: 5

— Françoise, où êtes-vous?

Il entend une voix qui dit:

— Je suis au fond du trou. Tirez-moi d'ici.

Et le mari répond:

— Attendez un moment. Je vais chercher une corde et je 10 reviens tout de suite.

Le mari va chercher une longue corde pour tirer sa femme du trou. Quand il revient, il dit:

— Voici une corde. Attrapez le bout de la corde. Je vais vous tirer du trou.   15

Alors il laisse tomber un bout de la corde dans le trou, et il tire de toutes ses forces. Il croit que sa femme est au bout de la corde. Mais, à sa grande surprise, ce n'est pas sa femme, c'est un petit diable qu'il tire du trou.

Le mari a peur du diable et il veut le repousser dans le trou. 20 Mais le petit diable lui dit:

— N'ayez pas peur, mon ami. Je suis un bon petit diable. Si vous me laissez vivre sur la terre, je promets de travailler pour vous et de vous rendre très riche. Je ne peux pas vivre dans le trou avec cette méchante femme.   25

— Mais, mon bon petit diable, je ne peux pas laisser ma femme dans ce trou.

— Oh, elle est très bien là. J'ai un palais au fond de ce trou et madame préfère mon palais à votre maison.

— Si c'est comme ça, elle peut rester dans le trou. Alors vous 30 pouvez venir avec moi, et vous allez me rendre riche.

Le diable tient sa promesse, comme un gentilhomme, et va travailler aussitôt pour cet homme.

Mais le mari a des remords et, le jour suivant, il retourne à la forêt avec une longue corde. Il appelle sa femme: 35

— Françoise, où êtes-vous?

Une voix lui répond:

— Je suis au fond du trou. Tirez-moi d'ici.

Il laisse tomber un bout de la corde au fond du trou. Puis
5 il tire de toutes ses forces, et cette fois c'est sa femme qu'il tire
du trou.

La femme dit alors à son mari:

— Mon cher mari, je vous remercie. Vous êtes trop bon pour
moi. Je ne veux plus vous contrarier.

10 Le mari lui dit:

— C'est bien. Maintenant rentrons chez nous.

Il rentre aussitôt chez lui avec sa femme. Quand le diable
aperçoit la femme, il s'écrie:

— Voilà la méchante femme! Je me sauve.

15 Il se sauve alors dans la forêt et se jette dans le trou.

Après cette aventure, la femme est très soumise. Elle ne
contrarie plus son mari et elle se querelle rarement avec lui.
Quand il lui dit le matin:

— Ma femme, il est tard; levez-vous pour faire le déjeuner,
20 je vous prie, — elle lui répond:

— Oui, mon ami, je me lève tout de suite.

Et elle se lève aussitôt et fait le déjeuner. Le soir quand son
mari lui dit:

— Ma femme, il est tard; il est temps de se coucher, — elle
25 lui répond:

— Oui, mon ami, je me couche tout de suite.

Et elle se couche aussitôt. Quand son mari lui dit:

— Voulez-vous me préparer un poulet rôti pour le dîner? —
elle lui répond:

30 — Avec beaucoup de plaisir. Moi aussi, j'aime le poulet
rôti.

Maintenant le mari et sa femme se querellent rarement. Il
est vrai que dans tous les bons ménages un mari et sa femme se
querellent de temps en temps pour le plaisir de se réconcilier
35 ensuite.

UNE PLAISANTERIE DE RABELAIS

Rabelais   *Le garçon*
Le propriétaire   *Le chef de police*
       Le roi

Rabelais, un grand écrivain français, reçoit un jour une lettre
du roi, François premier. Le roi, qui l'aime beaucoup, écrit à
Rabelais qu'il désire le voir. Rabelais lit la lettre du roi:

Mon cher Rabelais,

Pouvez-vous venir à Paris immédiatement? Je désire vous 5
parler de votre livre, *Gargantua*, que je trouve très intéressant.
Mais il y a plusieurs passages que je ne comprends pas. Venez
m'expliquer tout cela.

Votre ami dévoué,

François. 10

L'illustre écrivain désire beaucoup aller à Paris. Mais il demeure alors à Lyon, et cette ville est très loin de Paris. La distance
de Lyon à Paris est de cinq cents kilomètres. Comme cinq
kilomètres sont équivalents à trois milles anglais à peu près, Lyon
est à peu près à trois cents milles de Paris. 15

Mais Rabelais n'a pas le sou. Le grand écrivain se dit:

— Je n'ai pas d'argent pour faire le voyage de Lyon à Paris.
Si le roi désire me voir, il doit payer mon voyage.

Rabelais entre dans le plus grand hôtel de Lyon, l'hôtel du
Lion d'Or. Le propriétaire lui dit: 20

— Bonjour, monsieur. Que désirez-vous?

Rabelais répond:

— Je désire une chambre avec un bon lit, une cheminée, une
table à écrire et un fauteuil confortable.

— Bien, monsieur. Nous avons une très belle chambre, avec 25

63

tout ce que vous désirez, qui donne sur la rue. C'est dix francs par jour.

— Le prix ne fait rien. Montrez-moi la chambre.

Le propriétaire de l'hôtel appelle un garçon:

— Garçon, montrez la chambre à monsieur.   5

Le garçon dit:

— Venez par ici, monsieur.

Il montre la chambre à Rabelais et dit:

— Cette chambre a deux grandes fenêtres qui donnent sur la rue, un bon lit, une grande cheminée, une table à écrire et un 10 excellent fauteuil.

Rabelais dit au garçon:

— C'est bien. Je prends cette chambre. Apportez mes bagages, et faites-moi un bon feu dans la cheminée.

Le garçon apporte les bagages, fait du feu, et sort de la cham- 15 bre.

Aussitôt qu'il est seul, Rabelais prend trois petites bouteilles qui sont dans son sac de voyage. Il va à la cheminée et met un peu de cendre dans chacune des bouteilles.

Puis il prend une feuille de papier et avec des ciseaux il coupe 20 trois petits morceaux de papier pour faire des étiquettes. Sur la première étiquette il écrit: *Poison pour le Roi.* Il écrit sur la deuxième: *Poison pour la Reine,* et sur la troisième: *Poison pour le Dauphin.*

Puis il colle les étiquettes sur les trois bouteilles. Il laisse les 25 bouteilles sur la table à écrire et il sort de la chambre.

Il descend dans la salle à manger et commande un excellent repas. Il mange les meilleurs plats et boit le meilleur vin de l'hôtel.

Au bout de quelque temps, le garçon entre dans la chambre 30 de Rabelais pour la nettoyer. Il aperçoit les trois petites bouteilles sur la table. Curieux comme tous les domestiques, il veut savoir ce qu'elles contiennent. A sa grande surprise il lit sur la première: *Poison pour le Roi;* sur la deuxième il lit: *Poison pour la Reine;* et sur la troisième: *Poison pour le Dauphin.*   35

Le garçon se dit:

— Oh, voilà quelqu'un qui veut empoisonner le roi, la reine et le dauphin.

Il sort de la chambre, appelle le propriétaire et lui dit:

5 — Mon maître ... mon maître, il y a quelqu'un ici qui veut empoisonner toute la famille royale.

Le propriétaire dit:

— Allons donc! Ce n'est pas possible.

— Mais si, je vous dis. Venez avec moi; vous allez voir.

10 Le maître va avec le domestique dans la chambre de Rabelais et il voit les trois petites bouteilles sur la table.

Le propriétaire s'écrie:

— Oh, oh! voilà qui est très grave. Allez vite appeler la police.

Le domestique va appeler la police.

15 Au bout de quelque temps, les agents de police arrivent à l'hôtel, entrent dans la chambre de Rabelais, et voient les trois bouteilles sur la table à écrire.

Le chef de police dit à ses agents:

— Voilà qui est grave. Cet homme est un grand criminel.

20 Il veut empoisonner toute la famille royale. Arrêtez-le.

Rabelais sort en ce moment de la salle à manger.

Le propriétaire s'écrie:

— Voilà le criminel.

Aussitôt les agents de police arrêtent l'illustre écrivain.

25 Le chef de police lui dit:

— Monsieur, vous êtes arrêté. Nous allons vous conduire immédiatement à Paris. Le roi va vous juger.

Rabelais ne dit rien. La police le conduit de Lyon à Paris et le présente au roi pour être jugé. Le roi est très surpris de voir

30 son ami entre les mains de la police.

Le chef de police dit:

— Sire, voilà un homme qui veut empoisonner toute la famille royale. Voilà trois bouteilles qui contiennent du poison pour le roi, la reine et le dauphin.

35 Le roi dit:

66

— Monsieur Rabelais, expliquez-moi cette plaisanterie, je vous prie.

Rabelais dit au roi:

— Sire, je vous remercie du bon voyage que j'ai fait en compagnie de ces messieurs.   Le voyage de Lyon à Paris ne m'a rien   5
coûté.   Vous avez une police excellente.

Le roi dit en riant:

— Mon ami, voilà une bonne plaisanterie!

LE FEU ET LE FOU

Paul

Le garçon

Deux personnes qui passent

Deux personnes de la chambre voisine

Quatre hommes

Robert

L'agent de police

Le gérant de l'hôtel

Charles

Deux Américains, Robert et Paul, font un voyage en France. Ils arrivent à Paris et, comme ils ont beaucoup d'argent, ils vont à l'Hôtel de la Paix, qui est un des meilleurs hôtels de la ville. Ils prennent la meilleure chambre de l'hôtel, qui est situé sur un 5 grand boulevard.

C'est l'hiver, et il fait froid dans les rues de Paris. Mais dans la chambre de l'hôtel il fait chaud, parce que le garçon a allumé un bon feu dans la cheminée. Paul veut aller se promener, mais Robert ne veut pas sortir de la chambre. Il a un rhume; il a 10 mal à la gorge et mal à la tête. Robert ne parle pas français, mais Paul a la prétention de parler français comme un Parisien, à l'aide du dictionnaire. Il porte toujours un petit dictionnaire dans sa poche. Mais il prononce très mal. Il dit toujours: « le fou » pour « le feu », « j'ai femme » pour « j'ai faim », « les 15 chevaux » pour « les cheveux », « bonne » pour « bon », etc.

Il traduit littéralement de l'anglais en français des expressions, telles que: « je suis chaud » pour « j'ai chaud », « il est chaud » pour « il fait chaud », « quel temps est-il? » pour « quelle heure est-il? », « le troisième de janvier » pour « le trois janvier », etc.

20 Il fait aussi beaucoup de fautes de grammaire, telles que: « je n'ai pas des allumettes » au lieu de « je n'ai pas d'allumettes », « est le garçon ici? » au lieu de « le garçon est-il ici? », « quoi faites-vous? » au lieu de « que faites vous? », « il parle meilleur que moi » pour « il parle mieux que moi », etc.

Avant de sortir, Paul veut expliquer au garçon, à l'aide de son dictionnaire, que son ami a un rhume de cerveau, et il dit:

— Mon ami a un froid dans la tête.

Le garçon, qui ne comprend pas, dit:

— Oui, monsieur.   5

Il veut dire au garçon de surveiller le feu et de l'empêcher de s'éteindre. Paul cherche dans son dictionnaire les mots pour « *watch the fire* », et il dit d'un air assuré:

— Surveillez le fou.

Le garçon regarde les deux Américains d'un air inquiet et 10 répond:

— Très bien, monsieur.

Alors Paul cherche dans son dictionnaire les mots pour « *don't let the fire go out* », et il dit:

— Ne laissez pas le fou sortir.   15

Le garçon répond:

— Très bien, monsieur.

Bien satisfait de ses explications, Paul sort de l'hôtel et va se promener dans la ville.

Le garçon se trouve maintenant seul avec Robert. Il a peur 20 de lui et il se dit:

— Cet Américain est fou. Il ne faut pas le laisser sortir. — Puis il sort de la chambre et ferme la porte à clé.

Au bout de quelque temps Robert a soif, et il sonne pour appeler le garçon. Mais le garçon ne vient pas. Robert veut 25 ouvrir la porte pour descendre, mais il n'a pas la clé. Alors il frappe de toutes ses forces sur la porte. Deux personnes qui passent dans le corridor demandent au garçon:

— Qu'est-ce qu'il y a?

— Qui est-ce qui fait tout ce tapage?   30

Et le garçon leur dit:

— Ce n'est rien. C'est un Américain qui est fou. Il ne faut pas le laisser sortir.

Le feu s'éteint dans la chambre, et Robert a froid. Robert frappe encore sur la porte, mais personne ne répond. Alors il 35

prend une chaise et il frappe de toutes ses forces sur le plancher.
Les gens dans la chambre voisine demandent au garçon:

— Qu'est-ce qu'il y a? Qui est-ce qui fait tout ce tapage? —
Et le garçon leur répond:

— Ce n'est rien. C'est un Américain qui est fou. Il ne faut 5
pas le laisser sortir.

Pendant deux ou trois heures Robert reste seul dans sa chambre.
Il a froid, il a soif, et il a faim aussi. Le garçon ne vient pas et
Robert ne peut pas sortir, parce que la porte est fermée à clé.
Enfin il ouvre la fenêtre, il crie de toutes ses forces: 10

— « Help! Help! » — Et il fait des gestes désespérés pour
appeler quelqu'un à son secours. Un agent de police, qui voit
ses gestes désespérés, croit qu'il est en grand danger. L'agent
entre à l'hôtel et demande au garçon:

— Qu'est-ce qu'il y a? Un homme à la fenêtre fait des gestes 15
désespérés et crie de toutes ses forces. Il doit être en grand danger.

Le garçon lui répond:

— Mais non, monsieur, il n'est pas en danger. C'est un
Américain qui est un peu fou. Il veut sortir de sa chambre, mais
on m'a dit de l'empêcher de sortir. 20

L'agent de police sort de l'hôtel, et Robert reste toujours seul
dans sa chambre. Il a de plus en plus froid, de plus en plus soif,
et de plus en plus faim. Enfin il fait tant de bruit que le gérant
de l'hôtel dit au garçon:

— Ce fou est dangereux. Allez au téléphone et demandez 25
une ambulance pour le transporter à l'hôpital.

Le garçon va au téléphone et dit:

— Allô! Donnez-moi Charenton vingt-cinq quarante. . . Allô!
Hôpital des fous? Envoyez une ambulance tout de suite à
l'Hôtel de la Paix. 30

L'ambulance arrive bientôt. On ouvre la porte de la chambre
avec beaucoup de précautions, et quatre hommes se précipitent
sur Robert pour le ligoter. Par bonheur Paul revient en ce
moment, accompagné d'un autre Américain, Charles, qui parle
français comme il faut. Charles demande: 35

— Qu'est-ce qu'il y a?

Le gérant de l'hôtel lui répond:

— On va transporter le monsieur à l'hôpital des fous.

L'Américain qui parle français explique la situation et dit:

5   — Notre ami est moins fou que vous tous. Laissez-le tranquille.

On met Robert en liberté, et le gérant lui dit:

— Monsieur, je vous demande pardon.

Le domestique lui dit aussi:

10   — Monsieur, je vous fais mes excuses.

Après cette expérience désagréable, Robert et Paul se mettent à étudier sérieusement la prononciation et la grammaire françaises. Maintenant ils parlent beaucoup mieux le français. Ils comprennent ce qu'on leur dit, et ils peuvent se faire comprendre.

LES AUTOBUS DE PARIS

Un Anglais   *Le premier conducteur*   *Le deuxième conducteur*

A Paris, comme dans toutes les grandes villes, il y a des autobus qui transportent les voyageurs d'un endroit à l'autre rapidement et à bon marché. Chaque autobus porte un écriteau sur lequel est écrit en grosses lettres le nom de sa destination, tel que: *Louvre, Hôtel de Ville, Invalides, Versailles.*   5

Dans tous les autobus le nombre des places est limité. Quand toutes les places sont occupées, le conducteur ne laisse personne monter en voiture. Un écriteau, sur lequel est écrit le mot *Complet,* indique que l'autobus est plein.

Un Anglais vient à Paris pour voir les curiosités de la ville. 10 Il veut visiter en trois jours tous les beaux monuments de la capitale de la France. Il achète un petit guide de Paris. Son guide à la main, il prend toujours un autobus pour aller d'un endroit à l'autre. Il visite les endroits et les monuments les plus importants mentionnés dans le guide. Il croit que l'autobus est 15 très utile pour aller à bon marché d'un endroit à l'autre. Il visite ainsi le Louvre, les Invalides, la Tour Eiffel, l'Hôtel de Ville, l'Arc de Triomphe et même Versailles.

De temps en temps l'Anglais voit des autobus qui passent portant l'écriteau *Complet.* Alors il cherche Complet dans son 20 guide de Paris, mais il ne trouve pas ce nom dans la liste des endroits et des monuments de la ville.

Il croit que Complet est le nom d'un endroit important ou d'un beau monument, et il se dit:

—J'ai visité tous les endroits importants et tous les beaux 25 monuments de Paris, excepté Complet. Je veux visiter Complet avant de retourner en Angleterre.

Notre visiteur veut prendre un autobus qui porte l'écriteau *Complet,* mais le conducteur ne le laisse pas monter et lui crie:

— Complet, monsieur, complet!

L'Anglais dit:

— Oui, Complet, Complet, — et il court après l'autobus, qui ne s'arrête pas.

Au bout de quelque temps il voit un autre autobus qui porte 5
le même écriteau. Notre visiteur veut prendre cet autobus,
mais le conducteur lui crie aussi:

— Complet, monsieur, complet!

L'Anglais dit:

— Oui, oui, Complet, Complet, — et il a beau courir, l'auto- 10
bus ne s'arrête pas.

Beaucoup d'autobus passent qui portent un écriteau sur lequel
est écrit en grosses lettres le mot: *Complet*. Mais l'Anglais a
beau courir, ces autobus ne s'arrêtent pas. Il a beau crier au
conducteur: Complet! Complet! le conducteur ne le laisse pas 15
monter.

Au bout de trois jours notre touriste anglais quitte Paris.
En partant il se dit:

— Je crois que Complet est un des endroits les plus importants
ou un des monuments les plus beaux de Paris. Beaucoup d'auto- 20
bus y vont tous les jours. Les autobus qui y vont sont toujours
pleins. Je n'ai pas visité Complet cette année, parce qu'il y a
trop de monde. Mais l'année prochaine, en arrivant à Paris,
je vais visiter Complet tout d'abord, même si je dois y aller à
pied. 25

LE PROFESSEUR DE PHONÉTIQUE

Robert   *Monsieur Thomas*
L'ami   *Le médecin*
Lucile   *Le chirurgien*
      Le professeur de phonétique

Monsieur Thomas est très riche. Il a fait sa fortune dans le commerce des vins. Maintenant il demeure à Paris avec sa femme et sa fille. Madame Thomas a des ambitions sociales. Elle désire fréquenter la haute société. Comme son mari a
5 beaucoup d'argent, elle espère marier sa fille Lucile à un jeune homme de la haute société. Mademoiselle Lucile est une jeune fille charmante. Elle a les yeux bleus, les cheveux blonds et le teint rose. Elle rencontre à un bal un jeune homme élégant et distingué, Robert d'Argencourt, qu'elle admire beaucoup.

10 Robert n'est pas riche, mais il est de bonne famille et il a des manières très distinguées. Madame Thomas désire marier sa fille à ce jeune homme de bonne famille. En général, la fille d'un millionnaire n'a pas de difficulté à se marier. Lucile est riche et belle. Elle a les yeux bleus, les cheveux blonds et, chose
15 rare, un teint qui est rose sans l'aide de cosmétiques. Mais, malheureusement, elle a la bouche trop grande.

Robert d'Argencourt dit à un ami intime de monsieur Thomas:
— Je trouve Lucile charmante, parce qu'elle est belle et, pour dire la vérité, parce que son père, ancien marchand de vin, est
20 extrêmement riche. Mais je ne veux pas l'épouser, parce qu'elle a la bouche trop grande.

L'ami de monsieur Thomas dit à Robert:
— C'est dommage. Je vais dire cela à madame Thomas.

Madame Thomas est désolée d'apprendre cela, et Lucile est
25 encore plus désolée.

Lucile dit à son père:

— Papa, est-ce que je peux rendre ma bouche plus petite?

Et monsieur Thomas lui répond:

— Ma fille, avec de l'argent on peut tout faire. Je vais consulter les médecins les plus célèbres.

Monsieur Thomas va consulter le meilleur médecin de Paris 5
et lui demande:

— Monsieur le docteur, pouvez-vous rendre une bouche plus
petite?

Le médecin lui répond:

— Je regrette beaucoup, mais je ne peux pas faire cela. C'est 10
mille francs pour la consultation. Au revoir, monsieur.

Monsieur Thomas va ensuite consulter un chirurgien très
fameux, et lui demande:

— Monsieur le docteur, pouvez-vous rendre une bouche plus
petite? 15

Le chirurgien répond:

— Je regrette beaucoup, mais cette opération est impossible.
C'est deux mille francs pour la consultation. Au revoir, monsieur.

Le père de Lucile n'est pas découragé, et il consulte un de ses 20
amis intimes.

Cet ami lui demande:

— Connaissez-vous l'illustre professeur Ramanoski?

— Non, je ne le connais pas. Qu'est-ce qu'il sait?

— Il sait la phonétique. 25

— Qu'est-ce que c'est que ça, la phonétique?

— Vous ne savez pas ce que c'est que la phonétique? C'est
une science merveilleuse, mais je ne sais pas exactement ce que
c'est. Allez voir le professeur Ramanoski. Il est l'inventeur
d'une méthode spéciale pour appliquer la phonétique à la beauté 30
du visage. Je connais beaucoup de dames qui vont le consulter
et qui montrent des résultats remarquables.

Monsieur Thomas va aussitôt chez l'illustre professeur de
phonétique, qui lui explique sa méthode:

— La phonétique est la science des sons de la voix. Comme 35 dit le grand Molière dans sa comédie fameuse, *Le Bourgeois Gentilhomme,* il faut commencer par une connaissance exacte de la nature des voyelles et de la différente manière de les prononcer. Il y a cinq voyelles, A, E, I, O, U.

5 — Oui, je sais tout cela.

— La voyelle A se forme en ouvrant bien la bouche: A.

— A, A. Oui.

— La voyelle E se forme en fermant la bouche un peu: A, E.

— A, E, A, E. Ma foi, oui. Ah! comme c'est beau!

10 — Et la voyelle I, en fermant la bouche un peu plus et en tirant les deux coins de la bouche vers les oreilles: A, E, I.

— A, E, I, I, I, I. C'est vrai. Vive la science!

— La voyelle O se forme en arrondissant les lèvres: O.

— O, O. C'est très juste. A, E, I, O, I, O. C'est admirable!

15 I, O, I, O.

— Vous voyez que la bouche fait un petit rond qui représente un O.

— O, O, O, I, O, I, O. Vous avez raison. Comme vous êtes savant, monsieur le professeur!

20 — La voyelle U se forme en rapprochant les lèvres, comme pour faire la moue ou pour siffler: U, U.

— U, U. C'est très vrai. U, U.

— Si vous voulez faire la moue à quelqu'un et vous moquer de lui, vous pouvez lui dire: U.

25 — U. C'est vrai. La phonétique est une belle science.

— Oui, la phonétique est une science merveilleuse, et la beauté du visage est en rapport intime avec les organes de la voix. Ma méthode consiste à faire prononcer des mots qui changent l'expression du visage. Par exemple, si une personne a les lèvres

30 trop minces, je lui fais prononcer « Gros loup, hou! Gros loup, hou! », trois heures par jour, pendant six mois. Cet exercice rend les lèvres plus épaisses. Si une personne a les lèvres trop épaisses, je lui fais prononcer, trois heures par jour, pendant six mois, « Suzie sait ceci, Suzie sait ceci. » Cet exercice rend les

35 lèvres plus minces. Les personnes qui ont des rides au coin des

lèvres doivent répéter les mots: « Que susurre Suzon? » Les résultats sont garantis.

— Mais, monsieur le professeur, avez-vous des mots pour rendre la bouche plus petite?

— Oui, monsieur, j'ai trois mots pour rendre la bouche plus 5 petite. C'est mille francs le mot, payés d'avance.

Monsieur Thomas paie aussitôt les trois mille francs au professeur, qui lui dit:

— Merci, monsieur. Si vous voulez avoir une bouche plus petite, prononcez ces trois mots: « Pomme, prune, puce ». 10 Répétez cela trois heures par jour, pendant six mois. Regardez-moi bien: « Pomme, prune, puce; pomme, prune, puce ». Voyez comme la bouche devient de plus en plus petite en prononçant ces mots. En prononçant « pomme », la bouche devient ronde. En prononçant « prune », elle devient plus petite. 15 En prononçant « puce », elle devient plus petite encore.

— C'est vrai. C'est merveilleux.

Monsieur Thomas rentre chez lui et donne à sa fille la formule merveilleuse pour rendre la bouche plus petite.

Mademoiselle Lucile commence aussitôt ses exercices. Pen- 20 dant six mois, trois heures par jour, elle répète les mots magiques devant son miroir. Mais, à sa grande surprise, elle voit dans le miroir que sa bouche devient de plus en plus grande.

Robert d'Argencourt voit aussi que la bouche de Lucile devient plus grande. Il dit au père de la jeune fille: 25

— La bouche de Mademoiselle Lucile devient de plus en plus grande. Je ne peux pas l'épouser.

Monsieur Thomas, furieux, retourne chez le professeur Ramanoski et lui dit:

— Monsieur, rendez-moi mon argent. Après six mois d'exer- 30 cices, trois heures par jour, la bouche de ma fille devient de plus en plus grande.

Le professeur demande:

— A-t-elle prononcé exactement « Pomme, prune, puce »?

— Pas exactement. Elle a prononcé, trois heures par jour, 35

pendant six mois: « Pomme, prune, poire ». Poire, c'est plus joli que puce, surtout pour une jeune fille. Et puis, c'est plus logique, parce que c'est un fruit comme les deux autres mots.

Le professeur s'écrie en levant les bras au ciel:

— Poire! Poire! Poire! Elle a répété « poire » pendant six 5 mois?

— Oui, et sa bouche devient de plus en plus grande.

— Naturellement, monsieur. Poire! c'est le mot que je donne aux personnes qui ont la bouche trop petite, et qui veulent la rendre plus grande. 10

Monsieur Thomas dit:

— C'est dommage. Ma fille va recommencer ses exercices en répétant trois fois par jour « Pomme, prune, puce ». Je vois maintenant que les poires ne sont pas bonnes pour les jeunes filles. 15

LE PICARD ET LE GASCON

Le Picard   *Le Gascon*

La Picardie est une ancienne province au nord de la France, dont la ville principale est Amiens sur la Somme. Ce fleuve traverse toute la Picardie et se jette dans la Manche. Les habitants de la Picardie, appelés Picards, ont la réputation d'être industrieux
5 et rusés.

La Gascogne est une ancienne province bornée à l'ouest par l'Océan Atlantique et au sud par l'Espagne. Les Gascons sont braves et fiers comme d'Artagnan dans *Les Trois Mousquetaires,* qui était aussi gascon. Ils sont persuadés que la Gascogne est le
10 meilleur pays du monde, et ils en parlent toujours, mais souvent avec exagération.

Un jour un Gascon voyageait en Picardie, en compagnie d'un homme du pays, qu'il avait rencontré en chemin.

En passant près d'un champ où il y avait des choux, le Picard
15 s'est écrié:

— Quels beaux choux! Je n'ai jamais vu de choux si gros que ceux-ci.

Le Gascon a répondu:

— Bah! Ces choux ne sont pas si gros que ceux de mon pays.
20 Chez nous j'ai souvent vu des choux aussi gros qu'un chêne.

Le Picard a souri, mais il n'a rien dit. En passant près d'un champ où il y avait des prunes, le Picard s'est écrié:

— Quelles belles prunes! Je n'ai jamais vu de prunes si grosses que celles-ci.

25   Le Gascon a répondu:

— Bah! Ces prunes ne sont pas si grosses que celles de mon pays. Chez nous j'ai vu des prunes si grosses que sept en font une douzaine.

Le Picard a souri, mais il n'a rien dit.

Tout à coup les deux voyageurs ont aperçu un lapin qui traversait le chemin.

Le Picard a dit:

5 — Quel gros lapin! Je n'ai jamais vu de lapin si gros que celui-ci.

Le Gascon a répondu:

— Bah! Ce lapin n'est pas si gros que celui que j'ai tué en Gascogne. Une fois, j'ai tué un lapin qui était plus gros qu'un
10 cheval.

Le Picard a encore souri, mais il n'a rien dit. Au bout de quelque temps il a demandé à son compagnon:

— Mon ami, avez-vous déjà traversé la Somme?

— Non, je n'ai jamais traversé ce fleuve.

15 — Eh bien, nous allons bientôt traverser la Somme sur un pont. On dit que ce pont est très dangereux.

— Ah! Et pourquoi est-il dangereux?

— On dit que tous les menteurs qui passent dessus sont sûrs de tomber à l'eau. Et comme la Somme est un grand fleuve,
20 les menteurs qui y tombent sont sûrs de se noyer. C'est pour cela qu'il n'y a presque pas de menteurs en Picardie.

Au bout de quelque temps le Gascon a dit à son compagnon:

— J'ai bien réfléchi, et je crois que les choux de mon pays ne sont pas tout à fait si gros qu'un chêne.

25 Le Picard a dit:

— Ah! De quelle grandeur sont-ils donc?

— Oh, il me semble qu'ils sont à peu près aussi gros qu'un rosier.

Le Picard a souri, et il a ajouté:

30 — Nous approchons de la Somme.

Quelque temps après le Gascon a dit:

— J'ai encore bien réfléchi, et je crois que les prunes de mon pays ne sont pas tout à fait si grosses que je vous ai dit.

Le Picard a dit:

35 — Ah! De quelle grandeur sont les prunes de votre pays?

— Oh, il me semble qu'elles sont si grosses que dix en font une douzaine.

Le Picard a continué son chemin, en disant:

— Nous approchons de la Somme.

Bientôt ils ont aperçu une petite rivière. Le Gascon croyait 5
que c'était la Somme, et il avait peur. Avant de traverser la petite rivière le Gascon a dit:

— J'ai encore réfléchi, et je crois que le lapin que j'ai tué n'était pas tout à fait si gros qu'un cheval.

Le Picard a dit: 10

— Ah! De quelle grandeur était le lapin que vous avez tué?

— Oh, je suis d'avis qu'il était à peu près aussi gros qu'un mouton.

Quand ils ont traversé la petite rivière, le Picard a dit à son compagnon: 15

— Cette petite rivière n'est pas la Somme. Mais nous approchons de la Somme maintenant.

Bientôt les deux voyageurs ont aperçu un grand fleuve, et le Picard a dit:

— Ce grand fleuve est la Somme. Et voilà le pont dangereux. 20
Tous les menteurs qui passent dessus sont sûrs de tomber à l'eau.

Le Gascon avait vraiment peur, et avant de traverser le fleuve il a dit à son compagnon:

— J'ai encore bien réfléchi. Je suis d'avis que nos choux ne sont pas plus gros que ceux de votre pays. Il me semble aussi 25
que nos prunes sont à peu près de la même grandeur que les vôtres, et on en vend généralement treize à la douzaine. Je crois que le lapin que j'ai tué était à peu près aussi gros que celui que nous avons vu tout à l'heure.

Au moment où les deux voyageurs allaient traverser la 30
Somme, le Picard a dit:

— Moi aussi, j'ai bien réfléchi, et je suis d'avis que ce pont n'est pas très dangereux après tout. Je crois que les menteurs peuvent passer dessus sans tomber à l'eau.

Le Gascon a souri, et il a dit à son compagnon: 35

— Si les Picards peuvent passer ce pont sans tomber à l'eau, je suis sûr que les Gascons peuvent le passer sans peur. Les Gascons sont toujours sans peur et sans reproche. Ils ne mentent jamais. Ils disent toujours la vérité.

5 Le Picard a dit:

— Oui, ils disent toujours la vérité, quand il est dangereux de mentir.

LES DEUX VAGABONDS

Paul   *Pierre*   *Le cordonnier*

Deux vagabonds, Pierre et Paul, sont arrivés dans une petite ville. Ils étaient très mal vêtus et ils n'avaient pas d'argent. Pierre portait un vieux chapeau, un pardessus usé et des pantalons rapiécés. Il n'avait pas de souliers et il allait pieds nus. Paul était presque aussi mal vêtu que son compagnon. Il portait un 5 veston déchiré et des pantalons rapiécés aussi. Il avait une vieille paire de souliers usés, mais il n'avait pas de chaussettes. Paul a dit à son compagnon:

— Nous sommes trop mal vêtus pour fréquenter la bonne société de cette ville. Vous n'avez pas de souliers, et un homme 10 qui va pieds nus n'est pas reçu en bonne société. J'achèterai une paire de souliers neufs et je vous donnerai mes vieux souliers.

— Vous ne pourrez pas acheter de souliers. Vous n'avez pas d'argent.

— Un homme aussi intelligent que moi n'en a pas besoin. 15 Dans notre profession l'intelligence remplace l'argent. Allons chez un cordonnier. J'ai une bonne idée.

Paul a expliqué son idée à Pierre, et les deux vagabonds ont cherché un cordonnier. Bientôt ils ont vu au coin de la rue une petite boutique qui portait cette enseigne: BENOÎT, CORDONNIER. 20

Paul a dit à son compagnon:

— Attendez-moi ici au coin de la rue, — et il est entré dans la petite boutique.

Le cordonnier lui a dit:

— Bonjour, monsieur; vous désirez une paire de souliers? 25

— Oui, je veux acheter des souliers de première qualité.

— Très bien, monsieur. Asseyez-vous. Ôtez vos souliers et essayez cette paire.

Paul a ôté ses vieux souliers et les a laissés près de la porte, qui

était ouverte. Il a essayé alors une paire de souliers, et il a dit au cordonnier:

— Ces souliers sont trop petits. Montrez-moi une autre paire.

Il a essayé une autre paire, et il s'est écrié:

— Ces souliers sont beaucoup trop grands. Ils ne me vont 5 pas du tout.

— Mais, monsieur, vous ne portez pas de chaussettes. Si vous mettez une paire de chaussettes, ces souliers ne seront pas trop grands.

— Je ne porte jamais de chaussettes. Les chaussettes ne sont 10 pas bonnes pour la santé.

— Eh bien, voici une paire qui vous ira à merveille, et c'est très bon marché.

— Le prix n'a pas d'importance. Ces souliers ne sont pas assez bons pour moi. Et ils ne sont pas à la mode. 15

Le cordonnier a pris une autre paire de souliers:

— Voici les meilleurs souliers de ma boutique. Ils sont tout à fait à la mode. Mettez donc ces souliers. Ils ne sont pas chers; ils ne coûtent que soixante francs.

— Le prix n'a pas d'importance, — a répondu le vagabond. 20

Paul a mis les souliers, puis il s'est levé, il a fait quelques pas dans la boutique pour les essayer et il a dit:

— Oui, ces souliers me vont beaucoup mieux. Je prendrai cette paire.

En ce moment Pierre, qui attendait le moment favorable au 25 coin de la rue, est entré dans la boutique. Il a saisi les vieux souliers que son ami avait laissés près de la porte, et il s'est sauvé à toutes jambes.

Paul s'est écrié:

— Au voleur! Au voleur! 30

Il est sorti de la boutique et il s'est mis à courir à toutes jambes après son compagnon, en criant:

— Je l'attraperai, je l'attraperai.

Le cordonnier, qui était seul dans la boutique, ne pouvait pas sortir et il a crié aussi: 35

— Attrapez-le, attrapez-le. Au voleur! Au voleur!

Paul portait une paire de souliers neufs, mais comme ils lui allaient à merveille, il pouvait courir très vite. Bientôt il a attrapé Pierre, qui l'attendait au coin de la rue.

5 Alors Pierre a mis les souliers de son ami, il a fait quelques pas pour les essayer, et il a dit:

— Vos souliers me vont à merveille. Si j'avais maintenant un bon pardessus et un chapeau et des pantalons neufs!

Paul a dit:

10 — Moi, j'ai une bonne paire de souliers. Si j'avais maintenant une belle chemise, un bon veston et des pantalons neufs!

— Mais, comment pourrons-nous acheter tous ces vêtements? Nous n'avons pas d'argent.

— Ça ne fait rien. Cherchons la meilleure boutique de la
15 ville. Je vous ai déjà dit que dans notre profession l'intelligence remplace l'argent.

Et le pauvre cordonnier attendait toujours dans sa petite boutique. Il a attendu un jour, une semaine, un mois . . . , mais son client n'est jamais revenu.

LES TROIS SOUHAITS

Le bûcheron   *La fée*   *La femme du bûcheron*

Un bûcheron demeurait avec sa femme dans un petit village près de la forêt. Il coupait du bois et il le vendait dans le village. Sa femme faisait la cuisine et s'occupait de la maison. Le bûcheron travaillait tous les jours dans la forêt, mais il était très pauvre, parce qu'il ne vendait pas beaucoup de bois.   5

Un jour le bûcheron était occupé à couper du bois. Il faisait très chaud et le bûcheron était fatigué. Il s'est assis sur une bûche et il s'est dit:

— Je travaille tous les jours comme un esclave. Je voudrais être riche comme le propriétaire de cette forêt, et alors je n'aurais 10 pas à travailler. Je suis très malheureux.

En ce moment il a vu devant lui une belle fée, qui lui a parlé ainsi:

— Je suis la fée de cette forêt. J'ai pitié de vous et je désire vous aider. Je vous accorde trois souhaits. Vous pouvez 15 souhaiter les trois choses que vous désirez le plus.

La fée a disparu aussitôt. Le bûcheron est rentré à la maison et il a dit à sa femme:

— J'ai vu une belle fée dans la forêt, qui m'a parlé et qui m'a accordé trois souhaits. Nous pouvons souhaiter les trois choses 20 que nous désirons le plus.

La femme du bûcheron était très contente et elle a dit:

— Maintenant nous serons riches. Je ne ferai plus la cuisine et je n'aurai pas à m'occuper de la maison. Et vous, vous n'aurez plus à couper du bois. Qu'est-ce que nous souhaiterons d'abord? 25

Le bûcheron qui avait faim a répondu:

— Mangeons d'abord notre souper. Pendant que nous mangerons, nous pourrons penser aux trois souhaits.

91

La femme a mis la soupe et un morceau de pain sec sur la table. Il n'y avait pas autre chose à manger dans la maison. Pendant qu'il mangeait sa soupe, le bûcheron a dit d'un air résolu:

5 — Moi, je demanderai d'abord beaucoup d'argent. Je serai alors riche, comme le propriétaire de la forêt.

La femme a dit:

— Oui, nous demanderons beaucoup d'argent. Qu'est-ce que nous demanderons ensuite?

10 — Moi, je demanderai un grand château avec beaucoup de domestiques.

— C'est ça. Nous demanderons un château et beaucoup de domestiques. Et qu'est-ce que nous demanderons pour le troisième souhait?

15 — Comme nous n'avons pas d'enfants, je demanderai trois fils et sept filles.

— Oui, nous demanderons dix enfants. Mais moi, j'aimerais mieux sept fils et trois filles. Sept filles, c'est trop de femmes dans la maison.

20 Le mari a dit d'un air résolu:

— Non. Je demanderai sept filles et trois fils, je vous dis. Sept garçons, c'est trop d'hommes dans la maison.

La femme a dit:

— Moi, j'aime mieux les garçons. Il est difficile de trouver 25 des maris pour tant de jeunes filles.

— Non, je vous dis. Il est facile de trouver de bons maris pour des jeunes filles aussi riches que les nôtres. C'est décidé. Nous aurons sept filles et trois fils. Mais j'ai fini ma soupe et j'ai toujours faim. Ce morceau de pain est bien sec. Un homme 30 riche comme moi ne devrait pas manger du pain sec. Je voudrais avoir une bonne saucisse.

Aussitôt que le bûcheron a dit « Je voudrais », une saucisse est tombée devant lui sur la table. Il était bien surpris, et sa femme aussi.

35 La femme s'est écriée:

— Imbécile! Pourquoi avez-vous souhaité une saucisse? La fée nous a déjà accordé un souhait. Vous êtes sot!

— Diable! J'ai parlé sans réfléchir. Mais ça ne fait rien. Nous avons encore deux souhaits. Je pourrai demander de
5 l'argent et un château. Ce sera assez pour nous.

— Qu'est-ce que nous ferons avec une grande maison sans enfants? Comme vous êtes sot! Je ne sais pas pourquoi j'ai épousé un imbécile comme vous. Pourquoi avez-vous souhaité une saucisse? Je ne veux plus vous parler. Vous êtes trop bête.
10 Le mari s'est fâché et il s'est écrié:

— Taisez-vous donc! Laissez-moi tranquille avec votre saucisse. Je voudrais qu'elle vous pende au bout du nez.

Aussitôt que le bûcheron a prononcé ces mots magiques « Je voudrais », la saucisse est allée se pendre au bout du nez de la
15 femme.

La femme s'est écriée:

— Mon Dieu! mon Dieu! Qu'avez-vous fait? Voici que la saucisse me pend au bout du nez! C'est épouvantable! Je ne pourrai pas vivre avec cette saucisse au bout du nez. Tout le
20 monde se moquera de moi.

Le bûcheron a dit:

— Je le regrette beaucoup, ma pauvre femme. Mais quand nous serons riches, personne ne se moquera de vous.

La femme a répondu:
25 — Non, non, c'est impossible, c'est impossible! Je ne pourrai jamais vivre comme cela. Auparavant j'étais si jolie, et maintenant je suis si laide!

Le bûcheron a regardé sa femme et il a dit:

— C'est vrai, ma pauvre femme; vous êtes très laide comme
30 cela. Je voudrais que la saucisse vous tombe du nez.

Aussitôt la saucisse est tombée du nez de la femme.

La femme s'est écriée:

— Ah, comme je suis contente! La saucisse est tombée de mon nez. Mais c'est notre dernier souhait. Nous ne pouvons
35 plus rien demander.

Le bûcheron a dit:

— C'est vrai. Nous n'avons plus de souhaits. Nous ne pouvons plus rien demander, mais c'est votre faute. Vous auriez dû me laisser tranquille avec vos sept garçons.

— Et vous, vous auriez dû réfléchir avant de faire vos souhaits. 5
Vous auriez dû demander beaucoup d'argent, un grand château avec des domestiques, et puis trois filles et sept fils.

— Non, je vous dis; c'est sept filles et trois garçons. Mais ça ne fait rien. Je retournerai à la forêt et sans doute la fée m'accordera encore trois souhaits. Mais, j'ai toujours faim. Man- 10
geons la saucisse avec notre pain sec.

Le jour suivant le bûcheron est retourné à la forêt. Il s'est assis sur une bûche et il s'est écrié comme le jour avant:

— Je voudrais être riche! Je voudrais être riche!

Mais la fée n'est plus revenue. Le pauvre bûcheron a dû 15
travailler comme un esclave et couper du bois toute sa vie. Sa femme a dû faire la cuisine et s'occuper de la maison.

De temps en temps, le mari disait à sa femme:

— C'est votre faute. Si vous n'aviez pas insisté sur sept garçons au lieu de trois, nous serions riches maintenant. 20

95

LES TROIS AVEUGLES

L'étudiant   Le troisième aveugle
Le premier aveugle   Le garçon
Le deuxième aveugle   Le propriétaire

Trois aveugles mendiaient ensemble dans la rue. Un étudiant
espiègle qui passait par là a aperçu les trois mendiants. Le jeune
homme n'était pas certain si ces trois mendiants étaient vraiment
aveugles ou s'ils voyaient très bien. Il y a des mendiants qui font
5 semblant d'être aveugles et qui voient aussi bien que vous et
moi. Le jeune homme qui, comme beaucoup d'étudiants, aimait
à jouer des tours, s'est dit:
— Je voudrais bien savoir s'ils sont vraiment aveugles ou s'ils
voient aussi bien que moi.
10 L'étudiant s'est approché des trois mendiants et il leur a dit:
— Tenez, mes pauvres gens. Voici une pièce de vingt francs.
Partagez cet argent entre vous trois.
Le jeune homme a fait semblant de leur donner une pièce de
vingt francs, mais en réalité il ne leur a rien donné, pas même
15 un sou. Chacun des mendiants croyait qu'un de ses compagnons
avait reçu la pièce de vingt francs, et chacun d'eux a remercié le
généreux étudiant.
— Merci, mon bon monsieur, merci bien.
— Je vous remercie de tout mon cœur.
20 — Je vous remercie infiniment.
Et l'étudiant espiègle leur a répondu:
— Il n'y a pas de quoi, mes pauvres gens. Ce n'est rien.
Puis il s'est écarté un peu pour voir ce qu'ils feraient. Un
des aveugles a dit à ses compagnons:
25 — Maintenant nous sommes riches. Nous avons une pièce
de vingt francs. Partageons cet argent entre nous.
Le deuxième aveugle a dit:

96

— Oui, partageons-le. Moi, j'ai faim et je voudrais faire un bon dîner.

Le troisième aveugle a dit:

— Moi aussi, j'ai faim. Allons au restaurant faire un bon dîner, voulez-vous?   5

Le premier aveugle a répondu:

— C'est ça, allons au restaurant.

Le deuxième aveugle a répondu aussi:

— C'est une bonne idée. Allons au restaurant.

Les trois aveugles sont entrés dans un bon restaurant. Le 10 troisième aveugle a appelé le garçon:

— Garçon! — Puis il a dit:

— Garçon, nous avons beaucoup d'argent aujourd'hui. Nous voudrions faire un bon dîner. Donnez-nous une table à trois dans un coin, et nous vous donnerons un bon pourboire.   15

Le garçon a répondu très poliment:

— Très bien, messieurs. Asseyez-vous à cette table, je vous prie. Et maintenant, que désirent ces messieurs?

Le premier aveugle a demandé:

— Eh bien, qu'est-ce que vous avez de bon à manger aujour- 20 d'hui?

Le garçon a répondu:

— Nous avons une bonne soupe à l'oignon.

Le premier aveugle a dit:

— C'est ça! Apportez d'abord une soupe à l'oignon. Nous 25 aimons beaucoup les oignons.

— Et après cela, que désirent ces messieurs?

Le premier aveugle a répondu:

— Nous voudrions du poisson. Quel poisson avez-vous aujourd'hui?   30

— Nous avons des truites excellentes.

Le deuxième aveugle a dit:

— Bon, apportez-nous trois bonnes truites.)

— Et après le poisson, messieurs?

Le troisième aveugle a répondu: 35

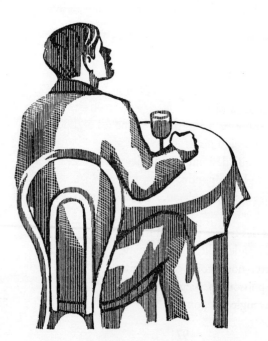

— Nous voudrions un poulet rôti.

— Et avec le poulet, quels légumes ces messieurs désirent-ils?

Le troisième aveugle a dit:

— Comme légumes, des pommes de terre frites pour trois, des haricots verts pour moi, des petits pois pour ce monsieur, 5 et des choux-fleurs pour l'autre monsieur.

— Et comme dessert, ces messieurs désirent-ils du fromage et des fruits, ou des glaces?

Le premier aveugle a dit:

— Nous prendrons du fromage et trois bonnes poires. Et 10 puis apportez-nous aussi trois glaces.

— Ces messieurs désirent du vin aussi sans doute?

Le deuxième aveugle a répondu:

— Naturellement, nous prendrons du vin. Apportez-nous une bonne bouteille de vin rouge. 15

Les trois aveugles ont ainsi commandé un bon dîner. Ils ont mangé de la soupe, du poisson, du poulet, des légumes, des fruits, du fromage et des glaces. Ils ont bu chacun un verre de vin, et naturellement ils étaient très gais.

L'étudiant avait suivi les trois aveugles au restaurant et il 20 s'était assis à une table à côté, pour jouir de la comédie.

Quand les trois mendiants ont bien mangé et bien bu, le troisième aveugle a dit au garçon:

— Garçon, l'addition, s'il vous plaît, et trois cigares!

Le garçon leur a dit: 25

— L'addition monte à quinze francs pour le dîner et à un franc cinquante pour les cigares.

Alors le troisième aveugle a dit à ses compagnons:

— Donnons-lui la pièce de vingt francs.

Puis il a dit au garçon: 30

— Garçon, vous pouvez garder la monnaie comme pourboire.

Le garçon tendait la main pour recevoir l'argent. Mais aucun des aveugles ne lui donnait la pièce de vingt francs. Enfin le garçon leur a dit avec impatience:

— Messieurs, j'attends mon argent. 35

Alors chacun des aveugles a répondu:

— C'est ce monsieur qui a l'argent.

Le garçon a attendu encore un moment, puis il a dit:

— Messieurs, payez l'addition, s'il vous plaît. Qui de vous a
5 l'argent?

Chacun des aveugles a répondu:

— Ce n'est pas moi.

Le garçon, impatienté, a appelé le propriétaire du restaurant.

Le propriétaire a dit aux aveugles:

10 — Payez l'addition, messieurs, ou j'appelle la police.

Les trois aveugles ont commencé à se quereller.

Le premier aveugle: — C'est vous qui avez l'argent.

Le deuxième aveugle: — Mais non. Ce n'est pas moi, c'est
vous.

15 Le troisième aveugle: — Je suis sûr que vous l'avez.

Le premier aveugle: — Je suis sûr que c'est vous.

Le deuxième aveugle: — Donnez-lui donc l'argent.

Le premier aveugle: — Donnez-le vous-même.

Puis ils ont commencé à se battre. Alors l'étudiant, voyant
20 que la comédie devenait sérieuse, s'est levé et il a dit au propriétaire:

— Monsieur, si vous permettez, je payerai l'addition de ces
pauvres gens. Voilà votre argent.

Les trois aveugles ont remercié le jeune homme, et ils sont
25 sortis du restaurant.

L'étudiant est sorti aussi en disant:

— La comédie m'a coûté cher, mais je me suis bien amusé.

LE MÉDECIN MALGRÉ LUI

Le paysan   Le roi
Sa femme   La princesse
   Les deux messagers

I

La femme d'un paysan passait tout son temps à bavarder chez ses voisines, pendant que son mari travaillait dans son champ. Quand le mari rentrait à la maison après son travail, le repas n'était jamais prêt.

Un jour le paysan est rentré à la maison et il a demandé à 5 sa femme:

— Est-ce que le dîner est prêt?

La femme a répondu:

— Non, pas encore.

Le mari a dit: 10

— Vous avez passé votre temps à bavarder chez les voisines, pendant que je travaillais dans mon champ. Il faut vous battre pour vous forcer à rester à la maison.

Alors il a pris un bâton et il a battu sa femme. Celle-ci s'est mise à pleurer et elle a dit à son mari: 15

— Ne me battez pas. Je vous promets que les repas seront toujours prêts désormais. Je n'irai plus bavarder chez les voisines.

Quand son mari est sorti, elle s'est dit:

— Vous m'avez battue. Eh bien, je me vengerai!

Quelques jours après, deux messagers du roi passaient devant 20 la petite maison du paysan. Celui-ci travaillait dans son champ, tandis que sa femme faisait le ménage. Les messagers du roi ont dit l'un après l'autre à la femme:

— Nous sommes très fatigués et nous avons faim.

— Voulez-vous nous donner quelque chose à manger? 25

La femme a répondu:

— Volontiers. Entrez donc.

Les messagers sont entrés dans la maison, et la femme leur a donné à manger. Elle leur a demandé:

— Où allez-vous, messieurs?

Les messagers du roi ont répondu l'un après l'autre:

5 — Nous allons de ville en ville.

— Nous cherchons un médecin pour guérir la fille du roi.

— La princesse est très malade.

— L'autre jour elle a mangé du poisson et une petite arête lui est restée dans le gosier.

10 — Elle ne peut pas manger, elle ne peut pas dormir et elle souffre beaucoup.

— Les médecins de la cour ne peuvent pas la guérir.

— Le roi nous a envoyés de ville en ville pour chercher quelqu'un capable de guérir la princesse.

15 La femme a réfléchi un moment et elle s'est dit:

— Voilà une belle occasion de me venger.

Puis elle a dit aux messagers:

— Il ne faut pas aller plus loin, messieurs. Je connais un médecin près d'ici qui est parfaitement capable de guérir la prin-
20 cesse.

Les messagers ont dit, l'un après l'autre:

— Vraiment? Vous connaissez un médecin capable de guérir la fille du roi? Nous voudrions le voir tout de suite.

— S'il peut guérir la princesse, nous l'emmènerons avec nous
25 au palais du roi.

La femme a ajouté:

— Mais, messieurs, je dois vous dire que ce médecin est un drôle d'individu. Il s'habille comme un paysan et il s'amuse à travailler dans les champs. Mais il est très habile, et il fait des
30 cures merveilleuses. Par exemple, l'autre jour un enfant est tombé du toit et il s'est cassé les bras et les jambes. Ce médecin l'a frotté avec un onguent merveilleux qu'il sait faire et, au bout de cinq minutes, l'enfant s'est levé et il est allé jouer avec ses camarades.

35 Les messagers se sont écriés:

— Voilà l'homme qu'il nous faut.

— Allons le chercher. Où est-il donc?

La femme leur a répondu:

— Il travaille là-bas dans le champ. Mais je dois vous dire qu'il a une étrange folie. Il faut le battre pour le forcer à faire 5 des cures. Si vous ne lui donnez pas des coups de bâton, il vous dira qu'il n'est pas médecin.

Les messagers ont dit:

— Voilà une étrange folie.

— Mais ça ne fait rien. Voulez-vous nous conduire au champ 10 où il travaille?

Chacun des messagers a pris un gros bâton, et la femme les a conduits au champ. Lorsqu'elle a aperçu son mari, elle a dit aux messagers:

— Le voilà, messieurs. Je vous laisse.   15

Les messagers du roi ont salué le paysan et ils lui ont parlé ainsi:

— Bonjour, monsieur le docteur.

— Bonjour, messieurs. Mais pourquoi m'appelez-vous docteur? Je ne suis pas médecin.   20

— Mais si! Nous savons bien que vous êtes le plus grand médecin du pays.

— La fille du roi est très malade. Nous venons vous chercher parce que vous êtes le seul médecin capable de la guérir.

— Je ne suis pas médecin, je vous dis. Je ne suis qu'un simple 25 paysan.

Les messagers ont insisté:

— Mais si, vous êtes médecin. Vous avez fait des cures merveilleuses.

— On nous a dit que l'autre jour un enfant était tombé du toit 30 et qu'il s'était cassé les bras et les jambes.

— On nous a dit que vous l'aviez frotté avec un onguent merveilleux que vous saviez faire, et qu'au bout de cinq minutes l'enfant s'était levé et était allé jouer avec ses camarades.

Mais le paysan a insisté aussi: 35

— Vous vous moquez de moi, messieurs. Je ne suis pas médecin.

Alors les messagers ont dit:

— Nous verrons bien, — et ils lui ont donné des coups de
5 bâton. Ils l'ont frappé si fort qu'à la fin le paysan s'est écrié:

— Oui, oui, messieurs! Je suis tout ce que vous voudrez.

— Eh bien, venez donc avec nous au palais du roi.

— La princesse est très malade et nous avons besoin de vous pour la guérir.

II

10 Lorsque les deux messagers, accompagnés du paysan, sont revenus au palais, le roi était bien surpris de voir un médecin qui avait l'air d'un simple paysan. Mais les messagers lui ont expliqué que ce médecin était un drôle d'individu, qui s'habillait comme un paysan et qui s'amusait à travailler dans les champs.
15 Ils ont dit aussi qu'il avait une étrange folie et qu'il fallait le battre pour le forcer à faire des cures; que si on ne lui donnait pas des coups de bâton, il dirait qu'il n'était pas médecin.

Alors le roi a dit au paysan:

— Ma fille est malade. Il faut absolument la guérir.

20 Le paysan a répondu:

— Sire, je ne suis pas médecin. Je ne peux pas guérir votre fille. Laissez-moi retourner à la maison, je vous prie.

Les messagers ont pris leurs bâtons et ils ont battu le paysan si fort qu'à la fin il s'est écrié:

25 — Ne me battez pas. Je ferai tout ce que vous voudrez.

On a conduit le paysan dans la chambre où la princesse était couchée sur son lit. Le paysan a demandé au roi:

— De quoi est-elle malade, la princesse?

Le roi lui a dit:

30 — Elle a mangé du poisson et une petite arête lui est restée au gosier. Elle est très malade et elle ne peut pas parler.

— Ah! Elle ne peut pas parler? Quelle belle maladie! Je voudrais bien que ma femme ne parle pas non plus.

Le roi a dit:

— Il faut guérir ma fille. N'avez-vous pas un remède pour la guérir?

Le paysan s'est approché de la princesse, et il lui a dit:

5 — Montrez-moi la langue.

Puis il a dit au roi:

— Donnez-lui un morceau de pain trempé dans du vin. C'est ce qu'on donne aux perroquets pour les faire parler.

Le paysan avait l'air si grotesque, et il disait des choses si drôles,
10 que la princesse a éclaté de rire. Aussitôt qu'elle a ri, l'arête de poisson lui est sortie du gosier. Le paysan a ramassé l'arête et il a dit au roi:

— Sire, votre fille est guérie. Voilà l'arête de poisson qui lui était restée au gosier. Maintenant elle pourra parler tant qu'elle
15 voudra.

La princesse s'est écriée en riant:

— Quel drôle de médecin! Il me prend pour un perroquet. Il veut me donner un morceau de pain trempé dans du vin pour me faire parler. Eh bien, donnez-moi un verre de vin. Le
20 pain n'est pas nécessaire.

Alors le roi a dit au paysan:

— Je vous remercie, monsieur le docteur, — et il lui a donné une grande somme d'argent.

III

Quand le paysan est rentré chez lui, il a dit à sa femme:

25 — Ma femme, je suis le plus grand médecin du pays. Maintenant nous sommes riches. Moi, je n'aurai plus besoin de travailler dans les champs. Et vous, vous n'aurez plus besoin de faire le ménage et de préparer les repas. Maintenant vous pourrez bavarder chez les voisines tant que vous voudrez.

L'ÉTOFFE MERVEILLEUSE

Le premier tisserand

Le roi

Le deuxième tisserand

Le troisième tisserand

Un courtisan

Un deuxième courtisan

Le premier ministre

Un enfant

Un autre enfant

Un vieillard

Un jour trois tisserands se sont présentés au roi. Le premier lui a dit:

— Nous savons tisser une étoffe merveilleuse. Cette étoffe est visible aux gens qui ont la conscience pure, mais complètement invisible aux gens qui ont la conscience coupable. 5

Le roi était très heureux d'apprendre cela. Il s'est dit:

— Avec cette étoffe merveilleuse je pourrai reconnaître les gens honnêtes et les gens malhonnêtes.

Il a dit aux tisserands:

— Tissez-moi cette étoffe merveilleuse, et faites-moi un beau 10 manteau.

Le deuxième tisserand lui a répondu:

— Pour tisser cette étoffe, il nous faudra beaucoup d'or, d'argent et de pierres précieuses.

Le roi leur a dit: 15

— Je vous accorderai tout ce qu'il vous faudra.

Alors le troisième tisserand a dit au roi:

— Donnez-nous une salle spéciale pour travailler, parce que nous voulons garder notre secret.

Le roi leur a accordé une salle spéciale et les trois tisserands 20 y ont installé leur métier à tisser. Puis ils ont fermé la porte à clé.

Du matin au soir les trois tisserands faisaient beaucoup de bruit dans la salle, et tous les habitants du palais croyaient qu'on y tissait une étoffe merveilleuse pour le roi. Au bout de quelques jours, le premier tisserand est allé dire au roi:

— L'étoffe est à peu près terminée, et vous pouvez la voir si vous voulez.

5 Le roi, qui avait envie d'éprouver ses courtisans, a dit à l'un d'eux:

— Allez voir l'étoffe merveilleuse, et dites-moi ce que vous en pensez.

Le courtisan est entré dans la salle où les étrangers faisaient 10 semblant de tisser l'étoffe. Les trois tisserands ont dit au courtisan, l'un après l'autre:

— Regardez cette étoffe. Comme elle est riche et belle! Elle est tissée entièrement en fils d'or et d'argent.

— Regardez ces belles fleurs que nous avons brodées sur l'étoffe.

15 — Regardez ces perles et ces diamants et toutes ces pierres précieuses qui la couvrent. C'est l'étoffe la plus merveilleuse du monde. Mais elle est visible seulement aux gens qui ont la conscience pure.

Le courtisan regardait avec étonnement, mais il avait beau 20 ouvrir les yeux, il ne voyait rien sur le métier à tisser. Comme il croyait que l'étoffe était invisible aux gens qui avaient la conscience coupable, il n'osait pas avouer qu'il ne voyait rien. Il a donc déclaré aux tisserands:

— Oui, je vois. C'est merveilleux!

25 Le courtisan est retourné auprès du roi et lui a dit:

— Sire, je viens de voir l'étoffe la plus merveilleuse du monde. Elle est tissée en or et en argent, et elle est toute couverte de pierres précieuses.

Le roi, qui désirait éprouver tous ses courtisans, en a envoyé 30 un autre examiner l'étoffe. Les tisserands faisaient toujours semblant de travailler sur leur métier à tisser. Ils ont dit au deuxième courtisan:

— Regardez cette étoffe. Comme elle est riche et belle!

— Regardez ces fils d'or et d'argent et toutes ces pierres 35 précieuses.

— Regardez ces perles et ces diamants et toutes ces jolies fleurs.

Le deuxième courtisan avait beau regarder, lui aussi; il ne voyait rien sur le métier à tisser. Mais comme on lui avait dit que l'étoffe n'était visible qu'aux gens honnêtes, il n'osait pas 5 dire la vérité. Il a donc déclaré aux tisserands:

— Mais, oui! Certainement, c'est merveilleux!

Le courtisan est retourné auprès du roi et lui a dit:

— Sire, je viens de voir l'étoffe la plus riche et la plus belle du monde. Elle est toute en or, en argent et en pierres précieuses. 10

Enfin le roi a envoyé son premier ministre examiner l'étoffe. Quand les trois tisserands ont vu le premier ministre entrer dans la salle, ils ont encore fait semblant de tisser, en parlant ainsi entre eux comme des gens très occupés:

— Passez-moi le fil d'argent. 15

— Passez-moi le fil d'or.

— Passez-moi un diamant pour mettre sur cette fleur.

Le premier ministre avait beau regarder, il ne voyait rien du tout sur le métier à tisser. Mais comme il avait peur de dire la vérité, il a dit aux ouvriers: 20

— Quelle belle étoffe! Je dirai au roi que c'est merveilleux.

Le premier ministre est retourné auprès du roi et lui a dit:

— Sire, je viens de voir l'étoffe. C'est magnifique!

Au bout de quelques semaines, le premier tisserand a annoncé au roi: 25

— Nous avons tissé l'étoffe et nous en avons fait un beau manteau.

Le roi leur a dit:

— Je veux essayer ce manteau tout de suite.

Alors les tisserands sont allés chercher une belle boîte. Ils 30 l'ont ouverte en présence du roi et de ses courtisans, puis ils ont dit:

— Voici le manteau merveilleux.

— C'est un manteau qui est visible seulement aux gens qui ont la conscience pure. 35

— Il est complètement invisible aux gens qui ont la conscience coupable.

Le premier ministre s'est écrié le premier:

— Quel beau manteau!

5 Les courtisans se sont écriés après lui:

— Comme c'est beau!

— C'est merveilleux!

— C'est magnifique!

Le roi avait beau regarder, il ne voyait rien du tout dans la 10 boîte. Mais il croyait que tous les autres pouvaient voir le manteau, et il avait honte d'avouer qu'il ne voyait rien. Le roi a dit:

— Oui, vous avez raison. C'est merveilleux.

Alors les trois tisserands ont fait semblant de mettre le manteau 15 sur les épaules du roi, et le premier ministre s'est écrié aussitôt:

— Sire, ce manteau vous va à merveille!

Et les courtisans ont répété:

— Sire, ce manteau vous va à ravir!

— Sire, ce manteau vous va à la perfection!

20 Alors le premier ministre a ajouté:

— Sire, c'est aujourd'hui la fête nationale du pays, et vous devriez porter ce magnifique manteau.

Le roi a répondu:

— Vous avez raison. Je porterai ce manteau aujourd'hui.

25 Le roi, suivi de son premier ministre et de ses courtisans, est allé se promener dans la ville. Tout le monde voulait voir le roi dans son manteau merveilleux. En le voyant passer, chacun faisait semblant d'admirer le beau manteau. Personne ne le voyait, mais chacun avait peur de dire la vérité.

30 Un enfant, qui était avec sa mère, s'est écrié tout à coup:

— Maman, moi, je ne vois pas de manteau.

Un autre enfant, qui était avec son père, s'est écrié aussi:

— Papa, je ne vois pas de manteau.

Puis tous les enfants qui étaient dans la foule se sont écriés:

35 — Le roi n'a pas de manteau!

110

Alors un vieillard a déclaré d'une voix grave:

— Les enfants ne voient pas de manteau, et pourtant ils ont la conscience pure. Je dois dire la vérité. Moi non plus, je ne vois pas de manteau.

5 Alors toute la foule s'est écriée:

— Le roi n'a pas de manteau! Le roi n'a pas de manteau!

Le roi, en entendant les cris de la foule, a compris qu'il était victime d'une imposture. Il est rentré aussitôt au palais, et il a donné l'ordre d'arrêter les trois imposteurs. Mais les trois 10 tisserands étaient déjà partis en emportant avec eux tout l'or, tout l'argent et toutes les pierres précieuses.

LES LUNETTES

Martin   *Catherine*
Le marchand de lunettes

Un jour Martin dit à sa femme:

— Catherine, demain il faut que j'aille au marché.

— Pourquoi voulez-vous aller au marché? — lui demande sa femme. — Vous n'avez rien à vendre, et puisque vous n'avez pas d'argent vous ne pourrez rien acheter.   5

— Il faut que j'aille au marché, vous dis-je. Je vendrai mon âne et j'aurai de l'argent.

— Pourquoi voulez-vous vendre votre âne? Nous n'avons que lui, et nous en avons besoin tous les jours.

— Il faut que je vende mon âne pour avoir de l'argent.   10

— Et qu'est-ce que vous ferez avec cet argent?

— J'achèterai des lunettes.

— Des lunettes? Il faut que vous soyez fou! Qu'est-ce que vous ferez avec des lunettes?

— Écoutez, Catherine. Si j'avais des lunettes, je saurais lire.   15 Monsieur le maire et monsieur le curé savent lire parce qu'ils portent des lunettes.

— Pourquoi voulez-vous savoir lire? Cela ne vous rendra pas plus riche.

— Si j'avais des lunettes, je pourrais lire l'almanach [almana].   20 Et si je pouvais lire l'almanach tout le monde viendrait me consulter. Naturellement chacun me ferait un cadeau. On m'offrirait du pain, des poissons, de la viande, des légumes, des fruits, et même de l'argent. Si j'avais des lunettes, je n'aurais pas besoin de travailler.   25

Le lendemain Martin mène son âne au marché. En route il fait de beaux rêves. Il vendra son âne à bon prix et il aura beaucoup d'argent. Avec cet argent il achètera des lunettes, et avec des lunettes il pourra lire l'almanach.

« Je saurai d'avance quand il fera mauvais temps, quand il y aura de la pluie et quand il y aura de la neige, quand il y aura nouvelle
5 lune et quand il y aura pleine lune, quand il faudra planter des choux et quand il faudra couper le foin. Et tout le monde viendra me consulter. »

Martin arrive avec son âne sur la place du marché. Il y a beaucoup de monde sur la place, des gens qui veulent vendre, des
10 gens qui veulent acheter, et d'autres qui sont venus là seulement pour s'amuser. L'âne de Martin est une jolie bête aux yeux doux, à l'air intelligent. Beaucoup de gens veulent l'acheter et Martin le vend à bon prix.

Maintenant qu'il a de l'argent, Martin va aussitôt chez le
15 marchand de lunettes.

— Bonjour, monsieur, — dit-il en entrant.

— Bonjour, mon brave homme, — répond le marchand. — Que désirez-vous?

— Je voudrais acheter des lunettes.

20   — Très bien. Je vais vous en montrer plusieurs et vous choisirez. Asseyez-vous ici et prenez ce journal.

Le marchand prend une paire de lunettes qu'il met sur le nez du paysan, en disant:

— Comment trouvez-vous ces lunettes? Pouvez-vous lire
25 facilement le journal?

— Non, — répond Martin. — Ces lunettes ne sont pas bonnes. Je ne peux pas lire avec elles. Montrez-moi une autre paire.

— Bien, — dit le marchand. — Essayez celle-ci.

Martin essaie une autre paire, et dit:

30   — Ces lunettes ne sont pas bonnes, je ne peux pas lire avec elles.

Martin essaie plusieurs paires de lunettes, mais aucune paire n'est bonne pour lui. Tandis que Martin essaie une cinquième ou sixième paire, le marchand s'aperçoit qu'il tient le journal
35 à l'envers. Il lui demande donc:

— Savez-vous lire, mon brave homme?

— Ah non, — répond Martin. — Si je savais lire je n'aurais pas besoin de lunettes. Mais vos lunettes ne sont pas bonnes. Au revoir.

Le pauvre Martin, désespéré, retourne au marché. 5

Je me demande ce qu'il achètera avec tout son argent. Devinez!

UN BON TOUR

Le roi   Le deuxième monsieur
Le premier monsieur   Le troisième monsieur

Vous avez entendu parler de Louis XIV (quatorze), n'est-ce pas? Vous savez que Louis XIV est le roi le plus célèbre de l'histoire de France. Il demeurait dans son magnifique palais de Versailles [versa:j] près de Paris. Ce palais est situé dans un grand jardin, dont tout le monde admire les fontaines, les statues, 5 les arbres et les fleurs.

Le roi Louis XIV aimait la poésie, et il écrivait lui-même des vers. Il les montrait quelquefois aux personnes qui l'entouraient et il demandait leur avis. Naturellement tout le monde admirait ce que le roi avait écrit. Personne n'osait lui dire 10 exactement ce qu'il pensait.

Un jour le grand roi se promenait dans le jardin de Versailles en compagnie de trois messieurs en qui il n'avait pas confiance. Pour les éprouver il leur joua un bon tour. Voici ce qu'il leur dit: 15

— Tout le monde sait que j'aime la poésie et que j'écris moi-même des vers. C'est pourquoi beaucoup de poètes m'envoient leurs poèmes en espérant que je leur accorde une récompense. Malheureusement j'en reçois beaucoup de mauvais et très peu de bons. A propos, voici un petit poème que j'ai reçu ce matin. 20 Je voudrais savoir ce que vous en pensez. Je vais vous le lire.

Le roi lit le poème à haute voix aux trois messieurs qui l'accompagnaient. Ayant terminé la lecture, il leur demanda:

— Eh bien, messieurs, qu'en pensez-vous? A-t-on jamais écrit des vers aussi mauvais? A mon avis ce poème ne vaut rien. 25

— Sire, — répondit un des messieurs, — vous avez raison. Je suis complètement d'accord avec vous. Ces vers sont très

117

mauvais. Le poème ne vaut rien. Celui qui l'a écrit est un sot.
Voilà mon avis.

— Sire, — ajouta le deuxième monsieur, — vous êtes un juge
excellent en poésie comme en toute chose. Je suis complètement d'accord avec vous. A mon avis ces vers sont bien mau- 5
vais. Celui qui les a écrits est un imbécile.

— Sire, — dit le troisième, — moi aussi, je suis d'accord avec
vous, et je pense exactement comme vous. Les vers sont
mauvais. Le poème ne vaut rien. Celui qui l'a écrit est un
âne. 10

Le roi écoutait sans rien dire chacun des trois messieurs donner
son avis sur le poème qu'il leur avait lu. Après un moment de
silence, il leur dit en souriant:

— Messieurs, je vous remercie. Je suis heureux d'apprendre
ce que vous pensez de ce poème et de son auteur. C'est moi qui 15
l'ai écrit.

Les trois messieurs restèrent un moment sans pouvoir parler.
Enfin le premier s'écria:

— Ah, sire! Pardonnez-moi. Je n'écoutais pas quand vous
lisiez le poème. J'admirais votre belle voix sans faire attention 20
à ce que vous lisiez. Permettez-moi de lire ces vers moi-même.
Je suis sûr qu'ils sont très beaux. Tout le monde sait que vous
êtes un bon poète.

— C'est exactement ce que je pense, — ajouta le deuxième
monsieur. Moi aussi, j'ai parlé sans réfléchir. Je n'ai pas besoin 25
de lire ce poème. Je sais d'avance que c'est un chef-d'œuvre.
Sire, vous êtes le meilleur poète du pays.

Le troisième monsieur déclara:

— Moi, Sire, je ne comprends jamais ce qui est écrit en vers.
J'ai donc répété ce que ces messieurs pensaient du poème. Mais 30
puisque vous l'avez écrit, je suis persuadé qu'il est admirable.
Vous êtes non seulement le plus grand roi, mais aussi le plus
grand poète du monde.

Le roi leur répondit en souriant:

— Messieurs, les premières impressions sont les meilleures. 35

119

Je n'oublierai pas ce que vous pensez de mon poème et de son auteur.

C'est ainsi que Louis XIV joua un bon tour aux trois messieurs en qui il n'avait pas confiance.

5 Les rois, comme tous ceux qui sont au pouvoir, ont beaucoup de peine à connaître la vérité.

LA MISE EN SCÈNE DES CONTES

Le Cirque

La scène représente à gauche une place publique, et à droite l'intérieur d'une tente. On dispose des paravents pour figurer les trois côtés de cette tente, dont l'entrée se trouve à gauche sur la place publique. Au fond de la tente, on laisse une ouverture qui sert de sortie et qui donne accès aux autres tentes, qui restent invisibles.

Les cages se font avec des boîtes d'emballage. Dans ces boîtes on met des animaux taillés en carton peint.

Les Trocs de Jean

La scène représente le chemin qui conduit au marché. Le long de la scène on place quelques branches d'arbre pour figurer le bord du chemin. A droite et à gauche on place un paravent pour faciliter les entrées et les sorties.

Les animaux mentionnés dans ce conte sont représentés par des cartons peints et découpés. Les cartons figurant la vache et la chèvre sont fixés à une planchette. On attache une ficelle à la planchette et on tire ainsi chaque animal en marchant. L'oie et le coq se portent dans les bras.

Jean et Marie parlent à l'entrée de la scène, à gauche. Après leur conversation Marie sort du même côté. Jean fait quelques pas, et l'homme qui mène la chèvre entre par la droite et vient à la rencontre de Jean. Après la conversation, il sort par la gauche. Les autres personnages entrent et sortent de même, tandis que Jean s'approche de plus en plus de la droite, où il rencontre son voisin. Jean et son voisin traversent alors la scène vers la gauche, où Marie les attend.

Les Examens

La scène est divisée en deux parties par un paravent. D'un côté c'est la salle d'examen, de l'autre un corridor du lycée. Dans la salle d'examen il y a une table et des chaises pour les professeurs. Sur la table, devant chaque professeur, il y a un écriteau en carton désignant son sujet: *Histoire, Géographie, Anglais, Physique.*

Après chaque examen, Alfred se retire dans le corridor et parle aux spectateurs. C'est là aussi qu'il annonce aux spectateurs le résultat de tous ses examens. Les professeurs se retirent après l'examen d'anglais.

Le gros poisson

La scène représente une rue de Marseille. On peut mettre un ou deux bancs de bois, pour permettre à quelques passants de s'asseoir. On peut aussi peindre quelques maisons avec des enseignes: *Boulangerie, Épicerie, Mercerie,* etc.

Les Corrigans

La scène représente un chemin. On place quelques branches d'arbre pour figurer le bord du chemin.

Action. — Les corrigans dansent au milieu de la scène. Pierre entre par la gauche et sort par la droite. Jean entre par la droite et sort par la gauche. Pendant la conversation entre Pierre et Jean, les corrigans cessent de danser et s'assoient par terre en rond.

Le savant médecin

La scène est divisée en deux parties par un paravent. D'un côté c'est la maison du médecin, de l'autre c'est une rue de la ville. Dans la maison du médecin il y a une table et deux ou trois chaises. Dans la rue il y a quelques enseignes comme: *Épicerie, Boulangerie, Tailleur, Cordonnier, Coiffeur,* etc.

La Foire de Perpignan

La scène représente le chemin qui va à Perpignan. Quelques branches d'arbre, le long de la scène, figurent le bord du chemin. A droite et à gauche on place un paravent pour faciliter les entrées et les sorties.

Les six ânes sont taillés chacun dans un morceau de carton et fixés sur des planchettes. Les ânes sont d'abord cachés derrière un des paravents.

Action. — Pierre et sa femme parlent à gauche, à l'entrée de la scène.

Après leur conversation la femme sort à gauche et Pierre traverse la scène à droite. Il sort les ânes cachés derrière le paravent, l'un après l'autre. Il les aligne devant lui et les compte. Il les pousse ensuite l'un après l'autre devant lui. Quand il monte sur un des ânes, il continue à pousser les autres vers la maison. La femme paraît à gauche quand il arrive devant la maison.

Les Huîtres et le cheval

La scène représente une salle d'auberge. Dans la salle il y a une table et plusieurs chaises rangées en demi-cercle devant une cheminée. La cheminée peut être figurée sur un morceau de carton peint. Il faut aussi un plateau pour le domestique, un verre, une bouteille et une assiette creuse. On peut trouver facilement quelques coquilles d'huître, ou les imiter.

Le Partage du fromage

La scène est divisée par un paravent en deux parties, dont l'une représente la cuisine et l'autre une salle. Dans la cuisine il y a une table, sur laquelle on place une balance à deux plateaux, une jatte de lait et un morceau de fromage. Il faut aussi un balai.

La Chasse au lapin

La scène représente d'un côté un bois et de l'autre le bord d'un chemin. Un paravent disposé vers le milieu de la scène représente la maison du bûcheron.

Pour figurer le bois, on dispose plusieurs branches d'arbre d'un côté de la scène. D'autres branches sont alignées le long du chemin.

Il faut un petit lapin, un grand lapin, un lapin domestique et un chat. On peut tailler ces animaux dans un morceau de carton peint et on les supporte sur une planchette. Au moyen d'une ficelle attachée à la planchette, un élève peut les faire mouvoir sans être vu. Pour le lapin domestique et pour le chat il vaut mieux les faire en étoffe bourrée de coton.

Voici comment on opère le lapin domestique. Au lieu de l'attacher à la branche de l'arbre, on l'attache en réalité à une ficelle qui va de cette branche à la main de l'opérateur. Au coup de fusil, l'opérateur tire vivement à lui, détachant la ficelle qui emporte le lapin. On peut se servir d'un fusil à air comprimé.

Action. — Quand monsieur Hubert parle à ses amis, il s'adresse aux spectateurs. Les exclamations des enfants viennent aussi de l'auditoire.

La Revanche de Médor

La scène est divisée par un paravent en deux parties, dont l'une représente la chambre de René et l'autre la chambre de Gaston. Dans chaque chambre il y a une cheminée qu'on peut figurer en carton, un fauteuil près de la cheminée, quelques chaises, et une table.

Le Charlatan

La scène est divisée par un paravent en deux parties, dont l'une représente un vestibule et l'autre une salle du palais. Dans le vestibule on place quelques fauteuils. Dans la salle il y a une cheminée qu'on peut figurer avec du carton peint.

L'Avare

La scène représente une chambre avec quelques chaises ordinaires, une table, et si l'on veut, une cheminée. Il faut un balai pour le domestique.

La Pluie et le beau temps

La scène représente une place publique devant l'église du village. Si l'on veut, on peut figurer des maisons de chaque côté de la place, avec l'église au fond; mais cela n'est pas nécessaire.

La Femme revêche mise à la raison

La scène est divisée en deux parties par un paravent. D'un côté c'est la maison, de l'autre c'est la forêt. Dans la maison il y a une table et quelques chaises. La forêt est représentée par quelques branches. Le grand trou est caché derrière les branches.

Action. — (1) Dans la maison. Le matin. Le mari est seul visible. Il parle à sa femme. La femme lui répond sans se montrer. L'homme sort. (2) Dans la maison. Le soir. La femme et l'homme sont assis. La femme lit un roman. L'homme lit un journal. Conversation. Le mari se retire. La femme continue à lire un moment, puis elle sort. (3) Dans la maison. La femme est assise, occupée à quelque chose. L'homme entre. Conversation jusqu'à: « je vais me promener », etc. Le mari sort et va dans la forêt. La femme met le couvert sur la table. Le mari revient et la femme sert le ragoût. Conversation. La femme sort et va dans la forêt. L'homme reste dans la maison. Il mange le ragoût. (4) Dans la forêt. La femme disparaît dans le trou derrière les branches. Actions et paroles du texte. (5) Dans la maison. L'homme est assis. Le diable balaie le plancher, essuie les assiettes, etc. L'homme sort pour retourner à la forêt. (6) Dans la forêt. Actions et paroles comme dans le texte. (7) Dans la maison. L'homme et la femme rentrent. Le diable se sauve. (8), (9) Mêmes actions que pour (1) et (2).

Une Plaisanterie de Rabelais

La mise en scène se fait en deux tableaux. Dans le premier tableau, la scène est divisée par un paravent en deux parties, dont l'une représente la salle d'entrée et l'autre une chambre de l'hôtel. Dans la salle d'entrée il y a une table et des fauteuils; dans la chambre il faut tous les objets mentionnés dans le texte. Pour le deuxième tableau, on enlève le paravent et on dispose les meubles pour représenter une salle dans le palais du roi.

Le Feu et le fou

La scène est divisée en deux parties par un paravent. D'un côté c'est la chambre de Robert avec une cheminée, de l'autre c'est un corridor de l'hôtel avec un téléphone.

L'action commence par la conversation avec le garçon. On annonce l'arrivée de l'ambulance avec une clochette.

Les Autobus de Paris

La scène représente une rue.

Les autobus sont taillés dans un grand morceau de carton peint. Le conducteur, qui est en partie caché derrière le carton, traverse la scène en poussant le véhicule. Chaque autobus doit porter l'écriteau: *Complet*.

Le Professeur de phonétique

La scène est divisée en deux parties par un paravent. D'un côté c'est la maison de monsieur Thomas. L'autre côté représente successivement la maison de l'ami, le cabinet du médecin, du chirurgien et du professeur de phonétique.

L'ami, le médecin, le chirurgien et le professeur de phonétique occupent la même salle, l'un après l'autre.

Le Picard et le Gascon

Tout le long de la scène on dispose quelque verdure pour représenter des arbres et des champs de légumes.

Il faut aussi représenter deux ponts, un grand et un petit. Pour cela il suffit de prendre deux morceaux de carton qui forment l'un un côté du petit pont et l'autre un côté du grand pont. Le mur du petit pont est placé vers le centre, le mur du grand pont est placé à l'extrémité de la scène.

Action. — Pendant la conversation, les personnages font seulement quelques pas jusqu'au petit pont. Le reste, comme dans le texte.

Les deux vagabonds

La scène est divisée en deux parties par un paravent. Une partie représente une rue, l'autre la boutique du cordonnier. Dans la boutique il y a plusieurs paires de chaussures.

Les trois souhaits

La scène est divisée en deux parties par un paravent. D'un côté c'est la forêt, représentée par des branches d'arbre. De l'autre côté c'est la maison du bûcheron, où il y a une table entre deux bancs.

Sur la table il y a une soupière, deux écuelles, deux cuillères, et une tranche de pain noir. Il faut deux saucisses que l'on fait en étoffe brune remplie de coton.

Action. — Voici comment on fait tomber la première saucisse sur la table. La saucisse est suspendue derrière le paravent, à un fil noir, dont

126

l'autre extrémité est attachée à la table. Quand le bûcheron dit: « Je voudrais avoir une bonne saucisse », il tire le fil et la saucisse tombe sur la table. Après quelque temps, il cache cette saucisse derrière le pain et la soupière où elle reste invisible.

Voici comment l'autre saucisse se pend au nez de la femme. Quand la femme a dit: « Je ne veux plus vous parler. Vous êtes trop bête », elle disparaît derrière le paravent du fond. Avec un fil invisible qui passe derrière les oreilles, elle attache la saucisse au bout de son nez. Aussitôt que l'homme a dit: « Je voudrais qu'elle vous pende au bout du nez », la femme revient en criant: « Mon Dieu! mon Dieu! », etc.

Voici comment la saucisse tombe du nez de la femme sur la table. Quand le bûcheron dit: « C'est vrai, ma pauvre femme, vous êtes très laide comme cela », la femme pleure et s'affaisse sur la table en se cachant le visage dans ses bras. Dans cette position elle peut casser le fil et poser la saucisse sur la table. Quand le bûcheron dit: « Je voudrais que la saucisse vous tombe du nez », la femme relève la tête. Le reste comme dans le texte. On peut terminer avec: « Mangeons la saucisse avec notre pain sec ».

Les trois aveugles

La scène est divisée en deux parties par un paravent. Une partie représente la rue, et l'autre le restaurant. Dans le restaurant il y a plusieurs petites tables et des chaises.

Le Médecin malgré lui

La mise en scène se fait en trois tableaux.

Premier tableau: La scène est divisée en deux parties, dont l'une représente l'intérieur de la maison du paysan, et l'autre représente un champ. Dans la maison il y a une table, quelques chaises, etc.

Deuxième tableau: La scène est encore divisée en deux parties, dont l'une représente une salle dans le palais du roi et l'autre la chambre de la princesse. Dans la salle du palais il y a quelques fauteuils. Dans la chambre de la princesse il y a un canapé sur lequel la princesse est couchée.

Troisième tableau: On enlève tous les décors.

L'Étoffe merveilleuse

La mise en scène se fait en deux tableaux.

Premier tableau: Dans le palais du roi. La scène est divisée par un paravent en deux parties, dont l'une représente une grande salle du palais et l'autre une chambre privée du même palais. Dans la salle on peut mettre quelques fauteuils. Dans la chambre il faut quelques chaises et un métier à tisser. On peut faire le métier à tisser avec quelques planches clouées à un banc qui permet à trois élèves de s'asseoir.

Deuxième tableau: Dans la rue. On enlève le paravent et tous les objets du premier tableau. La scène représente alors une rue.

Les Lunettes

La mise en scène se fait en deux tableaux.

Premier tableau: Dans une pauvre maison de paysan. Un banc. Un tabouret. Une petite table. Martin est assis sur le banc, la tête entre les mains, il rêve. Relevant la tête tout à coup, il se lève, se met à marcher de long en large dans la salle, puis il s'arrête devant sa femme et entame la conversation avec elle.

Deuxième tableau: Chez le marchand de lunettes. Une salle avec table et quelques chaises. Sur un plateau, plusieurs paires de lunettes. Un journal. Si l'on veut on peut accrocher au mur un tableau sur lequel sont inscrites des lettres de l'alphabet par rangées en diminuant, comme chez un oculiste.

Un bon tour

La scène représente une allée d'un jardin, figurée par quelques plantes des deux côtés. Le roi se promène de long en large dans l'allée avec ses trois compagnons.

CHANSONS POPULAIRES

Les Pompiers

Quand un pompier
Rencontre un autr' pompier,
Ça fait deux pompiers,
Ça fait deux pompiers.

Quand deux pompiers
Rencontrent un autr' pompier,
Ça fait trois pompiers, (*bis*)

Quand trois pompiers,
Etc. ad libitum.

Frère Jacques

Frère Jacques, frère Jacques,
Dormez-vous, dormez-vous?
Sonnez les matines, sonnez les matines,
Dign', din, don, dign', din, don!

Frère Jacques, frère Jacques,
Dormez-vous, dormez-vous?
Répéter ad libitum.

Les Canards

Deux canards déployant leurs ail's,
Coin, coin, coin!
Disaient à leurs canes fidèl's,
Coin, coin, coin!

129

Ils disaient, coin, coin, coin!
Ils chantaient, coin, çoin, coin!
Quand donc finiront nos tourments?
    Coin, coin, coin, coin!

  Trois canards, *etc.*

  Quatr' canards, *etc.*

  Cinq canards, *etc.*
    Etc. ad libitum.

Le Marchand de fromage

  Ah! mesdam's, voilà du bon fromage,
Voilà du bon fromage au lait;
Il est du pays de celui qui l'a fait.
  Et celui qui l'a fait était de son village;

  Ah! mesdam's, voilà du bon fromage,
    Répéter ad libitum.

La Soupe aux choux

    La soupe aux choux
    Se fait dans la marmite,
    Dans la marmit'
    Se fait la soupe aux choux.
      Répéter ad libitum.

Ils étaient quatre

    Ils étaient quatre,
  Qui voulaient se battre
  Contre trois,
  Qui ne le voulaient pas,
  Et le quatrièm',
  Il disait comm' ça:

— Ça n'me r'garde pas, —
Mais ça n'empêch' pas
Qu'ils étaient quatre,
Qui voulaient se battre.
Répéter ad libitum.

Le petit navire

Il était un petit navire,
Il était un petit navire,
Qui n'avait ja . . . ja . . . jamais navigué,
Qui n'avait ja . . . ja . . . jamais navigué.
   Ohé, ohé!

Il partit pour un long voyage, *(bis)*
Sans avoir ja . . . ja . . . jamais navigué. *(bis)*
   Ohé, ohé!

Au bout de cinq à six semaines, *(bis)*
Le pain, le vin . . ., vint, vint, vint à manquer. *(bis)*
   Ohé, ohé!

On tira-z-à la courte paille, *(bis)*
Pour savoir qui . . . qui . . . qui serait mangé. *(bis)*
   Ohé, ohé!

Le sort tomba sur le p'tit mousse, *(bis)*
Qui n'avait ja . . . ja . . . jamais navigué. *(bis)*
   Ohé, ohé!

Il était un' bergère

Il était un' bergère,
Et ron, ron, ron, petit patapon,
Il était un' bergère
Qui gardait ses moutons, ron, ron,
Qui gardait ses moutons.

Elle fit un fromage,
Et ron, ron, ron, petit patapon,
Elle fit un fromage,
Du lait de ses moutons, ron, ron,
Du lait de ses moutons.

Le chat qui la regarde,
Et ron, ron, ron, petit patapon,
Le chat qui la regarde
D'un petit air fripon, ron, ron,
D'un petit air fripon.

Si tu y mets la patte,
Et ron, ron, ron, petit patapon,
Si tu y mets la patte,
Tu auras du bâton, ron, ron,
Tu auras du bâton.

Il n'y mit pas la patte,
Et ron, ron, ron, petit patapon,
Il n'y mit pas la patte,
Il y mit le menton, ron, ron,
Il y mit le menton.

La bergère en colère,
Et ron, ron, ron, petit patapon,
La bergère en colère,
A tué son chaton, ron, ron,
A tué son chaton.

Le petit mari

Mon pèr' m'a trouvé un mari,
Hélas, quel homm', quel petit homme!
Mon pèr' m'a trouvé un mari,
Hélas, quel homm', qu'il est petit!

Le chat l'a pris pour un' souris,
Hélas, quel homm', quel petit homme!
Le chat l'a pris pour un' souris,
Hélas, quel homm', qu'il est petit!

Oh chat! Oh chat! C'est mon mari, *etc.*

Le chat a mangé mon mari, *etc.*

Malbrough s'en va-t-en guerre

Malbrough s'en va-t-en guerre,
Mironton, ton, ton, mirontaine!
Malbrough s'en va-t-en guerre,
Ne sait quand reviendra,
Ne sait quand reviendra,
Ne sait quand reviendra.

Il reviendra-z-à Pâques
Mironton, ton, ton, mirontaine!
Il reviendra-z-à Pâques
Ou à la Trinité. (*ter*)

La Trinité se passe,
Mironton, ton, ton, mirontaine!
La Trinité se passe,
Malbrough ne revient pas. (*ter*)

Madame à sa tour monte,
Mironton, ton, ton, mirontaine!
Madame à sa tour monte
Si haut qu'ell' peut monter. (*ter*)

Elle aperçoit son page,
Mironton, ton, ton, mirontaine!
Elle aperçoit son page
Tout de noir habillé. (*ter*)

133

Ô page, mon beau page,
Mironton, ton, ton, mirontaine!
Ô page, mon beau page,
Quell's nouvell's apportez? *(ter)*

Aux nouvell's que j'apporte,
Mironton, ton, ton, mirontaine!
Aux nouvell's que j'apporte,
Vos beaux yeux vont pleurer. *(ter)*

Monsieur Malbrough est more,
Mironton, ton, ton, mirontaine!
Monsieur Malbrough est more,
Est mort et enterré! *(ter)*

Au Clair de la lune

Au clair de la lune,
Mon ami Pierrot,
Prête-moi ta plume
Pour écrire un mot.
Ma chandelle est morte,
Je n'ai plus de feu;
Ouvre-moi ta porte,
Pour l'amour de Dieu.

Au clair de la lune,
Pierrot répondit:
— Je n'ai pas de plume,
Je suis dans mon lit.
Va chez la voisine,
Je crois qu'elle y est,
Car dans sa cuisine
On bat le briquet.

Au clair de la lune,
L'aimable Arlequin

Frappa chez la brune,
Qui répond soudain:
— Qui frapp' de la sorte?
Il dit à son tour:
— Ouvrez-moi la porte,
Pour le dieu d'amour.

Bonjour, Ma'm'selle Agathe

Bonjour, ma'm'selle Agathe,
Comment vous portez-vous?
— Je n'ai pas vu mon ami ce matin,
Ce qui me cause de la peine;
Je n'ai pas vu mon ami ce matin,
Ce qui me cause du chagrin.

Vous avez l'air malade,
Dites-moi, qu'avez-vous?
— Je n'ai pas vu mon ami ce matin,
Ce qui me cause de la peine;
Je n'ai pas vu mon ami ce matin,
Ce qui me cause du chagrin.

Vous avez l'air malade,
Dites-moi, qu'avez-vous?
— C'est que j'ai mal à la têt' ce matin,
Ce qui me cause de la peine,
C'est que j'ai mal à la têt' ce matin,
Ce qui me cause du chagrin.

Vous avez l'air malade,
Dites-moi, qu'avez-vous?
— C'est que j'ai mal à la gorg' ce matin,
Ce qui me cause de la peine,
C'est que j'ai mal à la gorg' ce matin,
Ce qui me cause du chagrin.

(*Répétez au commencement de chaque strophe:*
    Vous avez l'air malade,
    Dites-moi, qu'avez-vous?)

— C'est que j'ai bien mal au pied ce matin, *etc.*

— C'est que j'ai bien mal aux yeux ce matin, *etc.*

— C'est que j'ai bien mal aux dents ce matin, *etc.*

La Mère Michel

C'est la mère Michel qui a perdu son chat,
Qui cri' par la fenêt' qu'est-c' qui le lui rendra?
C'est l'compèr' Lustucru
Qui lui a répondu:
— Allez, la mèr' Michel, vot' chat n'est pas perdu.

C'est la mère Michel qui lui a demandé:
— Mon chat n'est pas perdu, vous l'avez donc trouvé?
C'est l'compèr' Lustucru
Qui lui a répondu:
— Donnez un' récompense, il vous sera rendu.

Et la mère Michel a dit: — C'est décidé!
Rapportez-moi mon chat, vous aurez un baiser.
Et l'compèr' Lustucru
Qui n'en a pas voulu,
Lui dit: — Pour un lapin votre chat est vendu.

La Légende de Saint Nicolas

Il était trois petits enfants
Qui s'en allaient glaner aux champs.
Puis le ciel bleu s'est assombri,
Soudain un grand éclair a lui,
Sur la grand' route tout tremblants
Les voyez-vous toujours courants?

136

Il était trois petits enfants
Qui s'en allaient glaner aux champs.
Enfin les p'tits sont arrivés
Chez un boucher. Ils ont frappé.
— Entrez, entrez, petits enfants,
Y a de la place assurément. —

Il était trois petits enfants
Qui s'en allaient glaner aux champs.
Ils n'étaient pas sitôt entrés
Que le boucher les a tués,
Les a coupés en p'tits morceaux,
Mis au saloir comme pourceaux.

Répétez les deux premiers vers au commencement de chaque strophe.

Saint Nicolas au bout d'sept ans,
Saint Nicolas vint dans ce champ.
Il s'en alla chez le boucher:
— Boucher, voudrais-tu me loger? —

— Du p'tit salé je veux avoir,
Qu'il y a sept ans qu'est dans l'saloir! —
Quand le boucher entendit ça,
Hors de la porte il se sauva.

— Petits enfants qui dormez là,
Je suis le grand Saint Nicolas; —
Et le saint étendit trois doigts;
Les p'tits se relèv'nt tous les trois.

Le premier dit: — J'ai bien dormi! —
Le second dit: — Et moi aussi. —
Et le troisième répondit:
— Je croyais être au paradis! —

137

La Marseillaise

Allons, enfants de la Patrie,
Le jour de gloire est arrivé,
Contre nous, de la tyrannie,
L'étendard sanglant est levé, *(bis)*
Entendez-vous, dans les campagnes,
Mugir ces féroces soldats?
Ils viennent jusque dans nos bras,
Égorger nos fils, nos compagnes!

  Aux armes, citoyens,
  Formez vos bataillons!
  Marchons, marchons,
  Qu'un sang impur
  Abreuve nos sillons!

Que veut cette horde d'esclaves,
Contre nous en vain conjurés?
Pour qui ces ignobles entraves,
Ces fers dès longtemps préparés? *(bis)*
Français, pour nous, ah! quel outrage,
Quels transports il doit exciter!
C'est vous qu'on ose méditer
De rendre à l'antique esclavage!

  Aux armes, *etc.*

Amour sacré de la Patrie,
Conduis, soutiens nos bras vengeurs;
Liberté, Liberté chérie,
Combats avec tes défenseurs! *(bis)*
Sous nos drapeaux, que la victoire
Accoure à tes mâles accents;
Que tes ennemis expirants,
Voient ton triomphe et notre gloire!

  Aux armes, *etc.*

138

Nous entrerons dans la carrière
Quand nos aînés n'y seront plus.
Nous y trouverons leur poussière
Et la trace de leurs vertus. (*bis*)
Bien moins jaloux de leur survivre
Que de partager leur cercueil,
Nous aurons le suprême orgueil,
De les venger ou de les suivre!

Aux armes, *etc.*

EXERCICES

LE CIRQUE

A. — Répondez aux questions suivantes: 1. Où est le cirque? 2. Où est la grande tente? 3. Qui va au cirque? 4. C'est combien pour voir les animaux sauvages? 5. Donnez le nom d'un animal sauvage. 6. Donnez le nom d'un autre animal sauvage. (*Répétez pour tous les autres animaux.*) 7. C'est combien pour entrer dans la deuxième tente? 8. Qu'est-ce qu'il y a dans la deuxième tente? 9. C'est combien pour entrer dans la troisième tente? 10. L'animal extraordinaire, quelle partie du corps a-t-il comme un chat? 11. Quelle autre partie du corps a-t-il comme un chat? (*Répétez pour chaque partie du corps.*) 12. Si ce n'est pas un chat, qu'est-ce que c'est?

B. — Quel est l'article défini qui correspond à: village, cirque, tente, cage, animaux, singe, tigre, lion, chameau, girafe, éléphant, chevaux de bois, franc, centime, corps, œil, nez, oreille, bouche, patte, queue.

C. — Faites des phrases complètes avec: je vais . . . (au cirque voir les singes, *etc.*), il va . . ., nous allons . . ., vous allez . . ., ils vont . . .; qu'est-ce que je dis . . .? (à l'homme, *etc.*), qu'est-ce qu'elle dit . . .? . . . que nous disons . . .? . . . que vous dites. . .? . . . qu'ils disent . . .?

LES TROCS DE JEAN

A. — Répondez aux questions suivantes: 1. Où va souvent le voisin? 2. Qu'est-ce qu'il vend? 3. Qu'est-ce qu'il achète? 4. Jean troque sa vache contre quoi? 5. Il troque la chèvre contre quoi? 6. Il troque l'oie contre quoi? 7. Il troque le coq contre quoi? 8. Où est-ce qu'il rencontre la vieille femme? 9. Où est-ce qu'il rencontre son voisin? 10. Où est-ce qu'il retourne avec son voisin? 11. Qui a gagné le pari? 12. Combien a-t-il gagné?

B. — Donnez le pluriel des substantifs suivants, avec l'article défini qui correspond: le jour, la femme, l'homme, l'enfant, l'oie, le bois, le matelas, le corps, la maison, le coq, la plume, le pari, le cheval, l'animal, l'œil, le feu, le chameau, le sou.

C. — *Faites des phrases complètes avec:* je vends . . ., il vend . . ., nous vendons . . ., vous vendez . . ., elles vendent . . .; je perds . . ., elle perd . . ., nous perdons . . ., vous perdez . . ., ils perdent . . .; je veux . . ., Jean veut . . ., Marie ne veut pas . . ., nous voulons . . ., vous voulez . . ., Jean et Marie ne veulent pas . . .

LES EXAMENS

A. — 1. Quels cours suit Alfred? 2. Quel est son premier examen? 3. Qui est George Washington? 4. Qui est Christophe Colomb? 5. Quel est le deuxième examen d'Alfred? 6. Qu'est-ce que le professeur de géographie lui demande? 7. Qu'est-ce qu'Alfred répond? 8. Où est la Seine? 9. Où est le Mississipi? 10. Quel est le troisième examen? 11. Quand fait-il chaud? 12. Quand fait-il froid? 13. Quel est le quatrième examen? 14. Est-ce qu'Alfred a lu *Roméo et Juliette?* 15. Quel est le résultat des examens?

B. — *Complétez les phrases suivantes avec la forme correcte des adjectifs:* (long, court) la leçon est —— (la leçon est longue, la leçon est courte, *etc.*), le fleuve est ——; (grand, petit) la salle est ——, l'animal est ——; (bon, beau) l'homme est ——, la femme est ——; (injuste) la question est ——, le professeur est ——.

C. — *Faites des phrases complètes avec:* je suis . . ., il suit . . ., nous ne suivons pas . . ., vous suivez . . ., suivent-ils . . .? je ne sors pas . . ., elle sort . . ., sortons-nous . . .? vous sortez . . ., ils sortent . . .; qu'est-ce que je lis . . .? il lit . . ., nous lisons . . ., lisez-vous . . .? elles ne lisent pas . . .

LE GROS POISSON

A. — 1. Où est Marseille? 2. Qu'est-ce que c'est que Marseille? 3. Qu'est-ce que c'est qu'un Marseillais? 4. Qu'est-ce qui entre dans le port de Marseille? 5. Où vont les bateaux qui sortent du port? 6. Qu'est-ce que Jean vient de voir? 7. Qui va voir le gros poisson? 8. Quelles sont les personnes qui courent au port? 9. Qu'est-ce que Jean a oublié? 10. Qu'est-ce que Jean demande à un passant? 11. Qu'est-ce que le passant lui répond? 12. Où va Jean?

B. — *Faites des phrases complètes avec:* je viens de . . ., l'ouvrier s'appelle . . ., allons voir . . ., le poisson est si gros que . . ., personne ne croit . . ., tout le monde court . . ., l'ouvrier a oublié . . ., c'est le plus gros poisson . . .

142

C. — *Conjuguez:* je n'ai rien à faire; je viens (il vient, nous venons, vous venez, ils viennent) de voir un gros poisson; je ne peux pas (il ne peut pas, nous ne pouvons pas, vous ne pouvez pas, ils ne peuvent pas) sortir; je ne crois pas (elle ne croit pas, nous ne croyons pas, vous ne croyez pas, ils ne croient pas) cette histoire; qu'est-ce que je vois? (il voit, nous voyons, vous voyez, ils voient)

LES CORRIGANS

A. — 1. Où est la Bretagne? 2. Qu'est-ce que c'est que les corrigans? 3. Où dansent les corrigans? 4. Quand dansent-ils? 5. Comment s'appelle le bossu? 6. Qu'est-ce qu'il entend? 7. Qu'est-ce qu'il voit? 8. Qu'est-ce que les corrigans chantent? 9. Est-ce que la chanson est longue ou courte? 10. Qu'est-ce que Pierre a ajouté à la chanson? 11. Qu'est-ce que les nains ont fait pour récompenser Pierre? 12. Où est-ce que Pierre rencontre son ami? 13. Qu'est-ce que Jean demande à Pierre? 14. Qu'est-ce que Pierre répond à Jean? 15. Où va Jean? 16. Qu'est-ce qu'il voit? 17. Qu'est-ce que les corrigans chantent? 18. Qu'est-ce que Jean a ajouté à la chanson? 19. Répétez toute la chanson. 20. Pourquoi le troisième vers n'est-il pas joli? 21. Qu'est-ce que les corrigans donnent à Jean?

B. — *Remplacez le nom par un des pronoms* **le, la, lui, les, leur,** *dans les phrases suivantes:* 1. Je vois les corrigans (je les vois). 2. Il répète la chanson. 3. Je rencontre mon ami. 4. Il dit à Jean. 5. Les corrigans entourent le bossu. 6. Je demande à Pierre et à Jean. 7. Il dit à sa femme. 8. Vous gâtez notre chanson.

C. — *Faites des phrases complètes avec:* je pars . . ., il part . . ., nous partons . . ., vous partez . . ., Pierre et Jean partent . . .; je n'aperçois pas . . ., elle n'aperçoit pas . . ., nous n'apercevons pas . . ., vous n'apercevez pas . . ., ils n'aperçoivent pas . . .; est-ce que je sais . . .? est-ce qu'elle sait . . .? est-ce que nous savons . . .? est-ce que vous savez . . .? est-ce que les corrigans savent . . .? je reviens . . ., Pierre revient . . ., nous revenons . . ., vous revenez . . ., elles reviennent . . .

LE SAVANT MÉDECIN

A. — 1. Où demeurent le médecin et sa femme? 2. Pourquoi le médecin n'a-t-il pas de cheval? 3. Est-ce qu'il a une voiture? (*En*

143

répondant, faites une phrase complète.) 4. Est-ce qu'il a un domestique? 5. Pourquoi n'a-t-il pas d'argent? 6. Qu'est-ce que sa femme désire? 7. Qu'est-ce qu'elle porte? 8. Qu'est-ce qu'elle dit à son mari? 9. Qu'est-ce que le médecin lui répond? 10. Qu'est-ce que le médecin fait le lendemain? 11. Qu'est-ce qu'il prononce à haute voix? 12. Qu'est-ce que les personnes qu'il rencontre disent au médecin? 13. Qu'est-ce qu'il leur répond? 14. Quelle maladie a l'épicier? (la femme du boulanger, le tailleur) 15. Où va l'épicier? (la femme du boulanger, le tailleur) 16. Qu'est-ce que le médecin demande à l'épicier? (à la femme du boulanger, au tailleur) 17. Qu'est-ce que l'épicier (la femme du boulanger, le tailleur) répond? 18. Qu'est-ce que le médecin donne à l'épicier? (à la femme du boulanger, au tailleur) 19. Qu'est-ce que l'épicier (la femme du boulanger, le tailleur) donne au médecin? 20. Qu'est-ce que l'épicier (la femme du boulanger, le tailleur) a toujours? 21. Qu'est-ce que le médecin et sa femme ont maintenant? 22. Qu'est-ce que la femme du médecin porte maintenant?

B. — Répétez les phrases suivantes sous forme négative: 1. J'ai de l'argent (je n'ai pas d'argent). 2. Le médecin a des clients. 3. La femme a des bijoux. 4. Nous avons un domestique. 5. Vous avez une voiture. 6. Ils ont un cheval.

C. — Faites des phrases complètes avec: j'ai mal . . ., elle n'a pas mal . . ., avez-vous mal . . .? je lis . . ., le médecin lit . . ., nous ne lisons pas . . ., est-ce que vous lisez . . .? les élèves lisent . . .; je ne sais pas . . ., le médecin sait . . ., nous savons . . ., est-ce que vous savez . . .? les élèves ne savent pas . . .

LA FOIRE DE PERPIGNAN

A. — 1. Où est la petite ferme de Pierre? 2. Où est Perpignan? 3. Est-ce que Pierre est plus intelligent ou plus stupide que sa femme? 4. Qu'est-ce que la femme dit à son mari? 5. Qu'est-ce que Pierre répond à sa femme? 6. Pourquoi Pierre va-t-il à Perpignan? 7. Combien d'ânes achète-t-il? 8. Est-ce que les ânes marchent vite ou lentement? 9. Quand Pierre compte ses ânes, qu'est-ce qu'il dit? 10. Quand Pierre est fatigué, qu'est-ce qu'il fait? 11. Quand Pierre compte encore ses ânes, qu'est-ce qu'il dit? 12. Qu'est-ce qu'il a oublié de compter? 13. Qu'est-ce qu'il demande à un paysan? 14. Qu'est-ce que le paysan répond? 15. Pourquoi Pierre n'ose-t-il pas rentrer à la maison?

16. Qu'est-ce que sa femme lui dit, quand il arrive? 17. Qu'est-ce que Pierre répond? 18. La femme compte les ânes, et qu'est-ce qu'elle dit? 19. Qu'est-ce que Pierre répond alors? 20. La femme voit combien d'ânes?

B. — Remplacez le nom par le pronom **en** *dans les phrases suivantes:* 1. Il ne manque aucun âne (il n'en manque aucun). 2. Je ne trouve que cinq ânes. 3. Il manque un âne. 4. Il manque une bête. 5. Il a acheté six ânes. 6. Est-ce qu'il a perdu deux animaux?

C. — Faites des phrases complètes avec: (1) J'achète . . ., il achète . . ., nous achetons . . ., vous achetez . . ., ils achètent . . .; je mène . . ., il mène . . ., nous menons . . ., vous menez . . ., ils mènent . . .; (2) bon marché, cher, vite, lentement, avoir peur, avoir raison.

LES HUÎTRES ET LE CHEVAL

A. — 1. Est-ce que le Gascon voyage à pied ou à cheval? 2. Où est-ce que le Gascon arrive? 3. Où est-ce qu'il met son cheval? 4. Où est-ce qu'il entre? 5. Pourquoi désire-t-il se chauffer? 6. Où veut-il s'approcher? 7. Pourquoi ne peut-il pas s'approcher du feu? 8. Où est-ce que le Gascon s'assoit? 9. Qu'est-ce qu'il dit au garçon? 10. Qu'est-ce que les chevaux mangent? 11. Qu'est-ce que les chevaux boivent? 12. Pourquoi les voyageurs vont-ils à l'écurie? 13. Où est-ce que le Gascon s'assoit maintenant? 14. Qu'est-ce qu'il fait devant le feu? 15. Qui a chaud maintenant? 16. Qui a froid maintenant? 17. Pourquoi le Gascon mange-t-il les huîtres? 18. Pourquoi boit-il le vin?

B. — Trouvez la question aux réponses suivantes: oui, j'ai froid; non, il fait chaud; non, je n'ai pas soif; oui, il a faim.

C. — Conjuguez au présent de l'indicatif: (1) j'ai froid aux mains . . .; je n'ai pas froid aux pieds . . .; j'ai faim . . .; je n'ai pas soif . . .; (2) je me chauffe les mains (il se chauffe . . ., nous nous chauffons . . ., vous vous chauffez . . ., ils se chauffent . . .); je m'approche du feu . . .; je bois . . ., est-ce qu'il boit . . .? nous buvons . . ., buvez-vous . . .? les voyageurs boivent . . .

LE PARTAGE DU FROMAGE

A. — 1. Un des chats est noir comme quoi? 2. L'autre chat est blanc comme quoi? 3. Où est-ce que les deux chats entrent? 4. Qu'est-ce que la cuisinière vient de faire? 5. Qu'est-ce que les chats trouvent dans la cuisine? 6. Quand la cuisinière rentre, qu'est-ce qu'elle dit aux chats? 7. Qu'est-ce que les chats demandent au singe? 8. Qu'est-ce que le singe répond? 9. Où est-ce que le singe pèse le fromage? 10. Si un morceau de fromage pèse plus que l'autre, que fait le singe? 11. Qu'est-ce que le chat noir dit au singe? 12. Qu'est-ce que le chat blanc dit au singe? 13. Qu'est-ce que le singe répond aux deux chats? 14. Que fait le singe quand la cuisinière rentre? 15. Que font les deux chats quand la cuisinière rentre? 16. Pourquoi les deux chats ne sont-ils pas satisfaits?

B. — Faites la comparaison entre les objets suivants avec: (1) **plus grand que** *ou* **plus petit que:** ce morceau-ci . . . ce morceau-là (ce morceau-ci est plus grand que ce morceau-là); la cuisinière . . . le chat; le chat . . . la cuisinière; le cheval . . . le singe; le chat . . . le singe; la cuisine . . . la maison; (2) *avec* **meilleur que** *ou* **pire que:** les singes . . . les chats; l'homme . . . le singe; le chat blanc . . . le chat noir; le lait . . . le fromage.

C. — Remplacez le nom par le pronom personnel dans les phrases suivantes: partageons le fromage (partageons-le), ne partageons pas le fromage (ne le partageons pas); buvons le lait, ne buvons pas le lait; mangez le fromage, ne mangez pas le fromage; pesez la partie, ne pesez pas la partie; pesez les parties, ne pesez pas les parties; mangez la bouchée, ne mangez pas la bouchée.

D. —Mettez les verbes suivants à l'impératif: nous entrons dans la cuisine (entrons dans la cuisine); vous n'entrez pas dans la maison (n'entrez pas . . .); vous partagez le fromage; nous ne demandons rien au singe; nous allons à la maison; vous n'allez pas à la maison; nous buvons du lait; vous mangez du fromage; nous avons confiance (ayons confiance); vous n'avez pas confiance (n'ayez pas . . .); nous nous en allons (allons-nous-en), vous vous en allez.

LA CHASSE AU LAPIN

A. — 1. Qu'est-ce qu'il y a chez monsieur Hubert? 2. Qu'est-ce que le chasseur dit à ses amis? 3. Qu'est-ce que les enfants disent en le voyant passer dans la rue? 4. Pourquoi les lapins ont-ils peur de monsieur Hubert? 5. Où se cachent les lapins? 6. Où se cache monsieur Hubert? 7. Qu'est-ce que le petit lapin dit à ses camarades? 8. Que fait le petit lapin? 9. Que fait monsieur Hubert? 10. Qu'est-ce que le grand lapin dit à ses camarades? 11. Que fait le grand lapin? 12. Que fait monsieur Hubert? 13. Pourquoi le chasseur doit-il rentrer chez lui? 14. Pourquoi va-t-il chez le bûcheron? 15. Combien le bûcheron veut-il pour son lapin? 16. Est-ce que ce lapin est cher ou bon marché? 17. Que fait monsieur Hubert avec son lapin? 18. Qu'est-ce que le chasseur voit sur le chemin? 19. Qu'est-ce qu'il fait? 20. Qu'est-ce qu'il dit à ses amis?

B. — Remplacez le nom par le pronom correspondant **lui, elle, eux,** *ou* **elles:** je vais dîner chez mon ami (je vais dîner chez lui); elle va chez ses amies (*fém.*); nous allons chez le bûcheron; allez-vous chez madame Hubert? ils vont chez leurs camarades; il n'a rien pour ses amis; c'est une fortune pour le bûcheron; c'est une fortune pour sa femme.

C. — Complétez les phrases suivantes: je ne connais pas . . ., tout le monde connaît . . ., nous connaissons . . ., connaissez-vous . . .? les lapins connaissent . . .; je ne veux pas . . ., monsieur Hubert veut . . ., nous ne voulons pas . . ., voulez-vous . . .? les élèves veulent . . .; ce lapin ne vaut pas . . ., combien vaut . . .? trois lapins valent . . ., est-ce que les chats valent . . .? je ne sais pas . . ., le chasseur sait-il . . .? nous ne savons pas . . ., savez-vous . . .? est-ce que les enfants savent . . .?

D. — Trouvez la question aux réponses suivantes: non, je n'ai pas peur d'un fusil; oui, je connais monsieur Hubert; non, je ne veux pas vendre mon lapin; ce lapin vaut dix francs; oui, il est trop cher; monsieur Hubert voit un chat gris; le chasseur tue le chat; il a un grand lapin dans son sac.

LA REVANCHE DE MÉDOR

A. — 1. Comment s'appelle le chien? 2. Comment s'appelle le maître du chien? 3. Que fait Médor quand René travaille? 4. Que fait Médor quand un visiteur entre? 5. Comment Médor dit-il bonjour au visiteur? 6. Pourquoi René va-t-il chez son ami? 7. Qu'est-ce qu'il demande à son ami? 8. Qu'est-ce que Gaston répond? 9. Pourquoi Gaston ne veut-il pas donner son fauteuil à Médor? 10. Que fait Médor quand Gaston crie « au chat »? 11. Que fait alors Gaston? 12. Pourquoi Gaston se réveille-t-il? 13. Où regarde-t-il? 14. Qu'est-ce qu'il voit dans le jardin? 15. Qu'est-ce qu'il dit à Médor? 16. Que fait Médor?

B. —*Mettez à la première personne les phrases suivantes:* il s'appelle Jean (je m'appelle Jean); il se lève et il va au devant du visiteur; il s'assoit dans le fauteuil et il s'endort; il se réveille et il se lève; il se met à crier très fort; Jean et René sont des amis (nous sommes des amis); ils se mettent à crier très fort; ils ne peuvent pas se reposer; Jean et René courent à la fenêtre; les amis ne voient personne dans le jardin.

C. —*Mettez à l'impératif les phrases suivantes:* vous vous levez (levez-vous); vous vous reposez; vous vous couchez; vous vous assoyez; nous nous réveillons; nous ne nous levons pas (ne nous levons pas); vous ne vous reposez pas; vous ne vous couchez pas; nous ne nous assoyons pas; vous ne vous réveillez pas.

D. — *Trouvez les questions aux réponses suivantes:* je vais bien, merci; je m'appelle René; oui, je veux bien prendre soin de Médor; non, je ne peux pas emmener Médor avec moi; non, je ne veux pas vous donner mon fauteuil; oui, je veux me reposer.

E. — *Faites des phrases complètes avec:* je m'endors . . ., le chien s'endort . . ., nous nous endormons . . ., est-ce que vous vous endormez . . .? les élèves ne s'endorment pas . . .; je m'appelle . . ., comment s'appelle . . .? nous ne nous appelons pas . . ., est-ce que vous vous appelez . . .? les amis de Médor s'appellent . . .

LE CHARLATAN

A. — 1. Qu'est-ce que le charlatan dit au roi? 2. Qu'est-ce que le roi promet au charlatan, s'il guérit les malades? 3. Si le charlatan ne guérit pas les malades, qu'est-ce que le roi va faire? 4. Qu'est-ce que le roi dit à son héraut? 5. Qu'est-ce que le charlatan dit au serviteur? 6. Qu'est-ce qu'il promet à tous les malades? 7. Avec quoi le charlatan va-t-il préparer son remède? 8. Qu'est-ce que le charlatan dit au premier malade? 9. Qu'est-ce que le premier malade répond? 10. Qu'est-ce que le charlatan dit alors à ce malade? 11. Qu'est-ce que le roi demande à ce malade? 12. Qu'est-ce que ce malade répond au roi? 13–17. *Répétez les questions 8, 9, 10, 11, 12 pour le deuxième malade.* 18. Que font tous les autres malades? 19. Qu'est-ce qu'ils crient l'un après l'autre? 20. Qu'est-ce que le charlatan dit alors au roi?

B. — Remplacez le nom par un des pronoms **le, la, lui, les, leur** *dans les phrases suivantes:* il peut guérir les malades; il ne peut pas guérir le malade; j'accepte les conditions; guérissez la femme; il répond au roi; il dit aux malades; prenez le remède; répondez aux malades; répondez à la femme.

C. — Faites une phrase complète avec les expressions suivantes: le plus malade . . ., le plus grand médecin . . ., pas du tout . . ., beaucoup mieux . . ., le plus vite possible . . .

D. — Faites des phrases complètes avec: je guéris . . ., le médecin guérit . . ., nous ne guérissons pas . . ., guérissez-vous . . .? les charlatans guérissent . . .; je ne me porte pas . . ., comment se porte . . .? nous nous portons . . ., est-ce que vous vous portez . . .? tous les malades se portent . . .; je promets . . ., le charlatan promet . . ., nous ne promettons pas . . ., promettez-vous . . .? les élèves promettent . . .

L'AVARE

A. — 1. Pourquoi monsieur Grigou ne veut-il jamais dépenser un sou? 2. Quelle est la devise de monsieur Grigou? 3–6. Si la cuisinière veut acheter de la viande (Si la cuisinière met trop de sel dans la soupe, Quand le domestique veut faire de feu, Quand le domestique balaie le plancher), qu'est-ce que l'avare lui dit? 7. Qu'est-ce qu'il donne à manger à son domestique? 8. Qu'est-ce que la cuisinière mange? 9. Qu'est-ce que le domestique dit un jour à son maître? 10. Qu'est-ce que monsieur Grigou lui demande? 11. Qu'est-ce que le domestique répond? 12. Qu'est-ce qu'il faut au domestique? 13. Pourquoi l'avare ne veut-il pas donner plus de nourriture au domestique? 14. Quelle variété de nourriture la cuisinière donne-t-elle au domestique? 15. Quelle variété de nourriture faut-il lui donner?

B. — Remplacez le dernier nom de chaque phrase par le pronom **lui** *ou* **leur:** il faut plus de nourriture au domestique (il lui faut plus de nourriture); il ne faut pas plus de nourriture à la cuisinière; il faut donner du pain à la cuisinière; il ne faut pas donner de viande à l'avare; il faut donner du poisson aux enfants; il faut de la variété aux élèves.

C. — Faites des phrases complètes avec: j'achète de la viande, la cuisinière n'achète pas . . ., nous n'achetons pas . . ., est-ce que vous achetez . . .?

les avares n'achètent pas . . .; je balaie le plancher, le domestique ne balaie pas . . ., nous ne balayons pas . . ., balayez-vous . . .? les élèves ne balaient pas . . .; je mets du sel dans la soupe; la cuisinière met trop . . ., nous mettons un peu . . ., mettez-vous . . .? les avares ne mettent pas . . .

D. — *Trouvez les questions aux réponses suivantes:* oui, j'ai assez à manger; oui, il me faut plus de variété; non, il n'y a pas assez de pain; oui, il y a assez de viande; non, je ne suis pas avare; oui, monsieur Grigou est riche; oui, je mange du poisson; non, les chevaux ne mangent pas de viande; oui, les chats mangent du fromage.

LA PLUIE ET LE BEAU TEMPS

A. — 1. Pourquoi le blé ne pousse-t-il pas bien? 2. De quoi les paysans ont-ils besoin? 3. Pourquoi les paysans viennent-ils à l'église? 4. Ils peuvent avoir de la pluie à quelle condition? 5. Pourquoi Mathieu ne veut-il pas de pluie dimanche? 6. Pourquoi Catherine ne veut-elle pas de pluie lundi? 7. Pourquoi Thomas veut-il du beau temps mardi? 8. Pourquoi Joseph veut-il du beau temps mercredi? 9. Pourquoi Louise veut-elle du beau temps jeudi? 10. Quel jour y a-t-il pleine lune? 11. Qu'est-ce que Julien veut faire vendredi? 12. Pourquoi tout le monde veut-il du beau temps samedi? 13. Pourquoi les paysans ne peuvent-ils pas avoir de pluie cette semaine? 14. S'il ne pleut pas bientôt, que vont-ils perdre? 15. Quels sont les jours de la semaine? 16. Quel jour de la semaine est-ce aujourd'hui? 17. Quel temps fait-il aujourd'hui?

B. — *Complétez les phrases suivantes:* aujourd'hui c'est . . ., demain c'est . . ., après-demain c'est . . ., les paysans ont besoin . . ., nous n'avons pas besoin . . ., nous ne voulons pas . . ., les jeunes gens veulent . . ., ils ne sont pas d'accord . . ., venez à l'église la semaine . . .

C. — *Faites des phrases complètes avec:* je dois . . ., tout le monde doit . . ., est-ce que nous devons . . .? vous ne devez pas . . ., les élèves doivent . . .; puis-je . . .? Marie peut-elle . . .? ne pouvons-nous pas . . .? ne pouvez-vous pas . . .? les paysans peuvent-ils . . .? est-ce que je ne veux pas . . .? Antoine ne veut-il pas . . .? ne voulons-nous pas . . .? ne voulez-vous pas . . .? Louise et Marie ne veulent-elles pas . . .?

D. — *Trouvez les questions aux réponses suivantes:* il s'appelle Joseph; aujourd'hui c'est lundi; non, il ne pleut pas aujourd'hui; il fait beau temps aujourd'hui; non, nous n'avons pas besoin de pluie; oui, je veux me promener; oui, je veux bien danser avec vous.

LA FEMME REVÊCHE MISE A
LA RAISON

A. — 1. Qu'est-ce que le mari dit à sa femme le matin? 2. Qu'est-ce que sa femme lui répond? 3. Qu'est-ce qu'elle fait pour contrarier son mari? 4. Qu'est-ce que le mari dit à sa femme le soir? 5. Qu'est-ce que sa femme lui répond? 6. Qu'est-ce qu'elle fait pour contrarier son mari? 7. Qu'est-ce que le mari veut manger pour le dîner? 8. Qu'est-ce que sa femme prépare pour le dîner? 9. Où est-ce que le mari va se promener? 10. Qu'est-ce qu'il dit à sa femme quand il rentre? 11. Que fait la femme pour contrarier son mari? 12. Pourquoi le mari est-il très inquiet? 13. Que fait l'homme pour tirer sa femme du trou? 14. Qu'est-ce qu'il tire du trou? 15. De qui a-t-il peur? 16. Qu'est-ce que le diable lui promet? 17. Pourquoi l'homme retourne-t-il à la forêt? 18. Pourquoi le diable se sauve-t-il? 19. Qu'est-ce que la femme fait maintenant le matin? 20. Qu'est-ce qu'elle fait maintenant le soir?

B. — *Employez la forme négative dans les expressions suivantes:* levez-vous (ne vous levez pas); préparez-moi un ragoût; couchez-vous; restez au lit; allons nous promener; allez à la forêt; rentrons à la maison; laissez-la au fond du trou; tirez-la du trou; appelez-les; allons travailler.

C. — *Conjuguez:* (1) je m'appelle; je me lève; je vais me promener; je me penche en avant; je me sauve; je vais me coucher; (2) je cherche mon livre; je vais étudier mes leçons; je veux écrire mes exercices.

UNE PLAISANTERIE DE RABELAIS

A. — 1. Qui est Rabelais? 2. Qui est François premier? 3. Qu'est-ce que le roi désire? 4. Où demeure Rabelais? 5. Pourquoi ne peut-il pas aller à Paris? 6. Où entre-t-il? 7. Qu'est-ce que le propriétaire lui dit? 8. Qu'est-ce que Rabelais désire? 9. C'est combien la chambre? 10. Qu'est-ce que le garçon dit à Rabelais? 11. Qu'est-ce que Rabelais dit au garçon? 12. Qu'est-ce que Rabelais met dans chacune des bouteilles? 13. Qu'est-ce qu'il écrit sur chacune des étiquettes? 14. Où descend-il ensuite? 15. Pourquoi le garçon entre-t-il dans la chambre de Rabelais? 16. Qu'est-ce que le garçon dit à son maître? 17. Qu'est-ce que le propriétaire dit au garçon? 18. Que font les agents de police? 19. Où conduisent-ils l'écrivain? 20. Qu'est-ce que Rabelais dit au roi? 21. Qu'est-ce que le roi dit à l'écrivain?

B. — Quelle est la forme correcte des phrases suivantes? (1) **qui** *ou* **que:** Rabelais est un écrivain . . . j'aime beaucoup; *Gargantua* est un livre . . . je trouve très intéressant; le professeur explique les passages . . . les élèves ne comprennent pas; Rabelais désire une chambre . . . donne sur la rue; donnez-moi les bouteilles . . . sont sur la table; voilà l'homme . . . veut empoisonner le roi; voilà une plaisanterie . . . le roi aime beaucoup. (2) **oui** *ou* **si:** 1. Ce n'est pas possible. — Mais . . ., je vous dis. 2. Avez-vous faim? — . . . monsieur, j'ai faim. 3. Vous n'avez pas peur? — . . ., j'ai peur. 4. Cet homme ne travaille pas. — Mais . . ., il travaille tout le temps. 5. Aimez-vous le poulet rôti? — . . . madame, je l'aime beaucoup. 6. Comment! Vous n'aimez pas le poulet rôti? — Mais . . ., je l'aime beaucoup.

C. — Faites des phrases complètes avec: je ne comprends pas . . ., l'élève comprend-il . . .? nous comprenons . . ., comprenez-vous . . .? les élèves comprennent-ils . . .? j'écris . . ., Rabelais écrit . . ., nous n'écrivons pas . . ., écrivez-vous . . .? les élèves écrivent-ils . . .? je reçois . . ., Rabelais reçoit . . ., nous ne recevons pas . . ., recevez-vous . . .? les écrivains reçoivent-ils . . .?

LE FEU ET LE FOU

A. — 1. Pourquoi Robert et Paul vont-ils à l'Hôtel de la Paix? 2. Quelle chambre prennent-ils? 3. Pourquoi fait-il froid dans la rue? 4. Pourquoi fait-il chaud dans la chambre? 5. Pourquoi Robert ne veut-il pas sortir? 6. Est-ce que Paul parle français très bien ou très mal? 7. Quelles fautes de français fait-il toujours? 8. Qu'est-ce qu'il veut dire au garçon? 9. Où va Paul? 10. Pourquoi le garçon a-t-il peur de Robert? 11. Pourquoi ferme-t-il la porte à clé? 12. Pourquoi Robert appelle-t-il le garçon? 13. Qu'est-ce que les personnes qui passent demandent au garçon? 14. Qu'est-ce que le garçon leur répond? 15. Pourquoi l'agent de police entre-t-il à l'hôtel? 16. Qu'est-ce que le garçon dit à l'agent? 17. Qu'est-ce que le gérant de l'hôtel dit au garçon? 18. Où va-t-on transporter Robert? 19. Pourquoi met-on Robert en liberté?

B. — Employez la forme correcte dans les phrases suivantes (**meilleur** *ou* **mieux**): je parle français . . . que Robert; vous prononcez . . . que moi; ma prononciation est . . . que la prononciation de Paul; cet hôtel est . . . que l'Hôtel de la Paix; j'écris . . . que vous; ma chambre est . . . que votre chambre.

C. — Faites des phrases complètes avec: faim, soif, chaud, froid, peur, il fait, il ne fait pas, un rhume, comme il faut, de toutes ses forces.

D. — Faites des phrases complètes avec: je prends . . ., Robert prend . . ., nous ne prenons pas . . ., prenez-vous . . .? Robert et Paul prennent-ils . . .? j'apprends . . ., Paul apprend-il . . .? nous n'apprenons pas . . ., apprenez-vous . . .? les élèves n'apprennent pas . . .; est-ce que je fais . . .? Paul fait-il . . .? nous ne faisons pas . . ., est-ce que vous faites . . .? les élèves font-ils . . .?

LES TRAMWAYS DE PARIS

A. — 1. Pourquoi y a-t-il beaucoup d'autobus à Paris? 2. Qu'est-ce qui est écrit sur l'écriteau de la voiture? 3. Quand toutes les places sont occupées, que fait le conducteur? 4. Qu'est-ce qui indique que l'autobus est plein? 5. Pourquoi l'Anglais vient-il à Paris? 6. Comment va-t-il d'un endroit à l'autre? 7. Qu'est-ce qu'il visite? 8. Pourquoi veut-il visiter Complet? 9–10. Pourquoi le conducteur ne le laisse-t-il pas monter en autobus? 11. Pourquoi l'Anglais a-t-il beau courir? 12. Pourquoi a-t-il beau crier « Complet » au conducteur? 13. Au bout de combien de temps quitte-t-il Paris? 14. Pourquoi n'a-t-il pas visité Complet cette année? 15. Qu'est-ce qu'il va faire l'année prochaine?

B. — Remplacez le nom par un des pronoms (1) **le, la, lui, les, leur,** *ou par* (2) **en** *ou* **y,** *dans les phrases suivantes:* (1) il visite les monuments (il les visite); il ne peut pas trouver Complet; il ne laisse pas monter l'Anglais; je crie au conducteur; le conducteur crie aux voyageurs; je ne veux pas prendre la voiture; qu'est-ce que vous dites à cette femme? (2) j'achète cinq chevaux (j'en achète cinq); je vais à la foire (j'y vais); voulez-vous vendre trois des vaches? avez-vous beaucoup d'argent? combien d'argent avez-vous? allez-vous à Paris cette année? achetez six oies; vendez deux chevaux; apportez beaucoup d'argent; allez à la foire aujourd'hui; n'allez pas à la foire demain.

C. — Trouvez les questions aux réponses suivantes, en remplaçant le pronom par un nom: oui, je veux y aller; non, je ne l'ai pas visité; oui, j'en ai assez; non, ce n'est pas un monument; oui, nous voulons le prendre pour y aller; non, l'autobus ne s'y arrête pas.

D. — Faites des phrases complètes avec: je n'ai pas visité . . ., l'Anglais a visité . . ., nous avons visité . . ., avez-vous visité . . .? les élèves ont-ils visité . . .? je ne pars pas . . ., l'Anglais part-il . . .? nous partons . . ., partez-vous . . .? les voyageurs partent-ils . . .? je ne crois pas . . ., le voyageur croit-il . . .? nous croyons . . ., croyez-vous . . .? tous les voyageurs croient . . .

LE PROFESSEUR DE PHONÉTIQUE

A. — 1. A qui madame Thomas veut-elle marier sa fille? 2–3. Faites une description de mademoiselle Lucile (. . . de Robert d'Argencourt). 4. Pourquoi Robert ne veut-il pas épouser Lucile? 5. Qu'est-ce que Lucile demande à son père? 6. Qu'est-ce que son père lui répond? 7–8. Combien le médecin (le chirurgien) demande-t-il pour la consultation? 9. Qu'est-ce que c'est que la phonétique? 10. Qu'est-ce que c'est que *Le Bourgeois Gentilhomme?* 11. Combien y a-t-il de voyelles? 12. Quelles sont-elles? 13–17. Comment se forme la voyelle *a?* (. . . la voyelle *e? . . .* la voyelle *i? . . .* la voyelle *o? . . .* la voyelle *u?*) 18–20. Quelle est la formule merveilleuse pour rendre les lèvres plus épaisses? (. . . les lèvres plus minces? . . . la bouche plus petite?) 21. Pendant combien de temps faut-il répéter ces mots? 22. Pourquoi la bouche de Lucile devient-elle de plus en plus grande?

B. — Complétez les phrases suivantes avec la forme correcte des adjectifs: (petit, grand) le monument est . . . (le monument est petit, le monument est grand), la maison est . . .; (beau, blond) Robert est . . ., Lucile est . . .; (riche, charmant) le jeune homme est . . ., la jeune fille est . . .; (distingué, élégant) le père est . . ., la mère est . . .; (spécial, merveilleux) c'est un art . . ., c'est une science . . .; (célèbre, fameux) c'est un roman . . ., c'est une comédie . . .; (bon, meilleur) ce système est . . ., cette méthode est . . .; (mince, épais) elle a le nez . . ., elle a les lèvres . . .

C. — Faites des phrases complètes avec: je répète . . ., Lucile répète . . ., répétons . . ., répétez . . ., les élèves répètent . . .; est-ce que je prononce . . .? comment prononce-t-on . . .? nous prononçons . . ., prononcez . . ., les élèves ne prononcent pas . . .; je deviens . . ., la leçon devient . . ., nous devenons . . ., est-ce que vous devenez . . .? les phrases deviennent . . .

D. — *Quelle est la forme correcte de l'adjectif possessif correspondant aux phrases suivantes:* la fille de madame Thomas (sa fille); la fille de monsieur Thomas; la mère de Robert; le père de Robert; la mère des enfants; le père des enfants; les enfants de monsieur Thomas; les enfants de madame Thomas; la fille de monsieur et de madame Thomas; les enfants de monsieur et de madame Thomas.

LE PICARD ET LE GASCON

A. — 1. Où est située la Picardie? 2. Où se jette la Somme? 3. Comment est bornée la Gascogne? 4. Qui étaient les trois mousquetaires? 5–7. Qu'est-ce que le Picard a dit des choux? (. . . des prunes? . . . du lapin?) 8–10. Qu'est-ce que le Gascon a répondu? 11. Pourquoi est-il dangereux de traverser la Somme? 12–14. Quand le Gascon a bien réfléchi, de quelle grandeur étaient les choux de son pays? (. . . étaient les prunes de son pays? . . . était le lapin qu'il avait tué?) 15. Pourquoi le Gascon avait-il peur de traverser le fleuve? 16–18. Quand le Gascon a vu la Somme, de quelle grandeur étaient les choux de son pays? (. . . étaient les prunes de son pays? . . . était le lapin qu'il avait tué?)

B. — *Remplacez le nom qui est répété par un des pronoms* **celui, celle, ceux, celles,** *dans les phrases suivantes:* les choux du Picard sont aussi gros que les choux du Gascon (les choux du Picard sont aussi gros que ceux du Gascon); les prunes de la Picardie ne sont pas si grosses que les prunes de la Gascogne; le lapin que j'ai tué est plus gros que le lapin que vous avez tué; les ponts de la Somme ne sont pas plus dangereux que les ponts de la Seine; ma maison est aussi grande que la maison de Paul; les habitants de la Picardie sont aussi braves que les habitants de la Gascogne.

C. — *Trouvez les questions aux réponses suivantes:* non, il n'a pas traversé la Somme; oui, j'ai lu *Les Trois Mousquetaires;* oui, ils ont vu un lapin; non, je n'ai pas vu de si grosses prunes; oui, ce pays est le meilleur pays du monde; oui, je l'ai vu.

155

D. — Faites des phrases complètes avec: je voyageais..., un Gascon voyageait..., nous voyagions..., vous voyagiez..., le Picard et le Gascon voyageaient...; je n'étais pas..., le Picard était-il...? nous étions..., étiez-vous...? les trois mousquetaires étaient...; je n'ai pas vu..., le voyageur a vu..., nous avons vu..., avez-vous vu...? le Picard et le Gascon ont-ils vu...? j'ai aperçu..., le voyageur n'a pas aperçu..., nous avons aperçu..., avez-vous aperçu...? le Picard et le Gascon ont aperçu...

LES DEUX VAGABONDS

A. — 1. Comment Pierre était-il vêtu? 2. Qu'est-ce qu'il portait? 3. Comment Paul était-il vêtu? 4. Qu'est-ce qu'il portait? 5. Qu'est-ce que Paul achètera? 6. A qui donnera-t-il ses vieux souliers? 7. Qu'est-ce que les deux vagabonds ont cherché? 8. Qu'est-ce que Paul a dit à son compagnon avant d'entrer dans la boutique? 9. Qu'est-ce que le cordonnier a dit à Paul quand il est entré dans la boutique? 10. Qu'est-ce que Paul a fait de ses vieux souliers? 11. Combien de paires de souliers a-t-il essayées? 12-14. Pourquoi n'aime-t-il pas la première paire (... la deuxième paire, ... la troisième paire) de souliers? 15. Qu'est-ce que Paul a dit quand il a mis la quatrième paire de souliers? 16. Qu'est-ce que Pierre a fait en ce moment? 17. Qu'est-ce que Paul a fait aussi? 18. Qu'est-ce que le cordonnier a crié? 19. Pourquoi Paul pouvait-il courir vite avec des souliers neufs? 20. Qu'est-ce que Pierre a fait des souliers de son ami? 21. Qu'est-ce que Pierre désire maintenant? 22. Qu'est-ce que Paul désire aussi? 23. Quand Paul est-il revenu chez le cordonnier?

B. — Faites une phrase complète avec chacune des expressions suivantes: à la mode, à merveille, pas du tout, bon marché, pieds nus, chez un cordonnier, au coin de la rue.

C. — Complétez les phrases suivantes: si j'ai de l'argent, je pourrai ...; si nous avons de l'argent, nous pourrons...; si vous n'avez pas d'argent, vous ne pourrez pas...; si Pierre et Paul ont de l'argent, ils pourront...; demain j'irai..., Paul ira..., nous irons..., vous irez ..., les élèves iront...; l'année prochaine je serai..., Pierre ne sera pas..., nous ne serons pas..., est-ce que vous serez...? les deux vagabonds seront...

D. — *Remplacez les noms par un des pronoms* **le, la, les, lui, leur, en, y:** à qui donnera-t-il les souliers? qu'est-ce qu'il a dit à son compagnon? (. . . à ses compagnons?); qu'est-ce qu'il a fait des souliers? combien de paires a-t-il essayées? pourquoi n'aime-t-il pas le chapeau? (. . . les souliers?); si j'ai de l'argent, je pourrai aller à Paris.

LES TROIS SOUHAITS

A. — 1. Où demeurait le bûcheron? 2. Qu'est-ce qu'il faisait? 3. Qu'est-ce que sa femme faisait? 4. Qu'est-ce que le bûcheron voudrait? 5. Pourquoi le bûcheron voudrait-il être riche? 6. Qu'est-ce que la fée lui a dit? 7. Qu'est-ce que le bûcheron a dit à sa femme? 8. Pourquoi sa femme était-elle contente? 9-11. Qu'est-ce qu'ils demanderont pour le premier souhait? (. . . pour le deuxième souhait? . . . pour le troisième souhait?) 12. Pourquoi le mari aimerait-il mieux trois fils et sept filles? 13. Pourquoi la femme aimerait-elle mieux sept fils et trois filles? 14. Pourquoi la fée a-t-elle accordé une saucisse? 15. Qu'est-ce que la femme a dit au bûcheron? 16. Pourquoi la saucisse s'est-elle pendue au nez de la femme? 17. Pourquoi la femme ne veut-elle pas vivre avec une saucisse au bout du nez? 18. Pourquoi la saucisse est-elle tombée du nez de la femme? 19. Qu'est-ce qu'ils peuvent demander maintenant? 20. Qu'est-ce qu'ils auraient dû demander? 21. Qu'est-ce qu'ils ont fait de la saucisse? 22. Qu'est-ce que le bûcheron a dû faire comme avant? 23. Qu'est-ce que la femme a dû faire aussi comme avant?

B. — *Complétez les phrases suivantes:* (1) si j'étais riche je n'aurais pas à . . .; si le bûcheron était riche il n'aurait pas à . . .; si nous étions riches nous n'aurions pas à . . .; si vous étiez riches vous n'auriez pas à . . .; si le bûcheron et sa femme étaient riches ils n'auraient pas à . . .; (2) j'aurais dû . . ., le bûcheron n'aurait pas dû . . ., nous n'aurions pas dû . . ., est-ce que vous auriez dû . . .? le bûcheron et sa femme n'auraient pas dû . . .; (3) je voudrais . . ., la femme du bûcheron voudrait . . ., nous ne voudrions pas . . ., voudriez-vous . . .? les élèves voudraient . . .

C. — *Remplacez le dernier nom de chaque phrase par un des pronoms* **lui, elle, eux, elles:** c'est Jean, ce n'est pas Marie; c'est à ses frères (à ses sœurs) qu'il parle; j'ai une lettre pour le jeune homme (. . . pour la jeune fille); combien d'argent avez-vous reçu de votre père (... de votre mère)? il est allé chez les bûcherons.

LES TROIS AVEUGLES

A. — 1. Qu'est-ce que les trois aveugles faisaient dans la rue? 2. Qu'est-ce que l'étudiant voulait savoir? 3. Qu'est-ce qu'il a dit aux mendiants? 4. Qu'est-ce qu'il leur a donné? 5. Comment chacun des aveugles a-t-il remercié l'étudiant? 6. Qu'est-ce que l'étudiant leur a répondu? 7. Qu'est-ce que les trois aveugles voulaient faire avec cet argent? 8. Où sont-ils entrés? 9. Quelle soupe ont-ils commandée? 10. Quel poisson ont-ils commandé? 11. Qu'est-ce qu'ils ont mangé après le poisson? 12. Quels légumes ont-ils mangés? 13. Qu'est-ce qu'ils ont mangé comme dessert? 14. Qu'est-ce qu'ils ont bu? 15. A combien montait l'addition? 16. Combien le garçon pouvait-il garder comme pourboire? 17. Pourquoi les aveugles se sont-ils querellés? 18. Lequel des aveugles avait l'argent? 19. Qui a payé l'addition? 20. Qu'est-ce que l'étudiant a dit en sortant du restaurant?

B. — *Complétez les phrases suivantes:* ce n'est pas moi qui...; c'est lui qui...; ce n'est pas nous qui...; est-ce vous qui...? ce ne sont pas les mendiants qui...

C. — *Faites des phrases complètes avec:* je me suis approché..., l'étudiant s'est approché..., nous nous sommes approchés..., vous vous êtes approchés..., les mendiants se sont approchés...; j'ai aperçu..., le jeune homme a aperçu..., nous n'avons pas aperçu..., vous n'avez pas aperçu..., les élèves n'ont pas aperçu...; j'ai bu..., l'étudiant a bu..., nous avons bu..., est-ce que vous avez bu...? les mendiants ont bu...

D. — *Remplacez le dernier nom de chaque phrase par un des pronoms* **lui** *ou* **leur:** je n'ai rien donné au garçon (je ne lui ai rien donné); n'avez-vous rien donné aux mendiants? a-t-il donné le pourboire au garçon? oui, il lui a donné le pourboire; combien avez-vous donné aux aveugles? est-ce que l'étudiant a joué un tour aux trois mendiants? qu'est-ce que vous avez répondu au jeune homme? est-ce que vous avez répondu à cette dame? donnez-moi les livres, s'il vous plaît; ne lui donnez pas les livres.

LE MÉDECIN MALGRÉ LUI

A. — 1. Comment la femme du paysan passait-elle tout son temps?
2. Qu'est-ce que le paysan a demandé à sa femme? 3. Qu'est-ce que
la femme a répondu? 4. Pourquoi le paysan a-t-il battu sa femme?
5. Qu'est-ce que les messagers du roi ont dit à la femme? 6. Qu'est-ce
qu'elle a répondu? 7. Pourquoi les messagers vont-ils de ville en ville?
8. Pourquoi la princesse est-elle malade? 9. Pourquoi la femme veut-
elle se venger? 10. Qu'est-ce qu'elle a dit aux messagers? 11. Quelle
cure merveilleuse ce médecin a-t-il faite? 12. Quelle étrange folie ce
médecin a-t-il? 13. Pourquoi le paysan dit-il aux messagers: Je suis
tout ce que vous voudrez? 14. Qu'est-ce que le roi a dit au paysan?
15. Qu'est-ce que le paysan a répondu au roi? 16. Qu'est-ce que le
paysan a dit à la princesse? 17. Qu'est-ce que le paysan veut donner
à la princesse pour la faire parler? 18. Pourquoi la princesse a-t-elle
éclaté de rire? 19. Pourquoi le roi a-t-il donné de l'argent au paysan?
20. Qu'est-ce que le paysan a dit à sa femme quand il est rentré chez
lui?

B. — *Complétez les phrases suivantes:* je pourrai parler tant que je
(voudrai), la princesse pourra parler tant qu'elle . . ., nous pourrons
parler tant que nous . . ., vous pourrez parler tant que vous . . ., les
femmes pourront parler tant qu'elles . . .; je ferai tout ce que vous (voudrez), le paysan fera tout ce que nous . . ., nous ferons tout ce que le
roi . . ., vous ferez tout ce que vous . . ., les élèves feront tout ce qu'ils
. . .; je voudrais (voir le médecin), le roi voudrait . . ., nous voudrions
. . ., est-ce que vous voudriez . . .? les deux messagers voudraient . . .

C. — *Remplacez les noms par un des pronoms* **le, la, les, lui, leur:** je
vais chercher le médecin; il faut guérir la princesse; ils ont frappé le
paysan; nous voudrions le dire au roi; je voudrais le dire à la princesse;
ne battez pas le paysan; il a guéri la princesse; il lui a donné la récompense; il leur a donné la récompense; donnez-lui la récompense;
donnez-leur la récompense.

L'ÉTOFFE MERVEILLEUSE

A. — 1–2. A qui l'étoffe merveilleuse est-elle visible? (. . . est-elle
invisible?) 3. Qui est-ce que le roi pourra reconnaître avec cette étoffe?
4. Qu'est-ce qu'il a dit aux tisserands? 5. Qu'est-ce qu'il faudra aux

trois tisserands pour tisser cette étoffe? 6. Où est-ce que les tisserands ont installé leur métier à tisser? 7. Qu'est-ce que les tisserands faisaient dans cette salle? 8–10. Qu'est-ce que le premier (le deuxième, le troisième) tisserand a dit au courtisan? 11. Qu'est-ce que le courtisan voyait? 12. Qu'est-ce que le courtisan a dit au roi? 13. Qu'est-ce que le deuxième courtisan a dit au roi? 14. Qu'est-ce que les tisserands faisaient semblant de faire quand le premier ministre est entré? 15. De quoi le premier ministre avait-il peur? 16. Qu'est-ce que les trois tisserands ont annoncé au roi? 17. Qu'est-ce que le roi leur a dit? 18. Qu'est-ce que le premier ministre a dit quand les tisserands ont ouvert la boîte? 19. Qu'est-ce que les courtisans ont dit aussi? 20. Quand les trois tisserands ont fait semblant de mettre le manteau sur les épaules du roi, qu'est-ce que le premier ministre a dit? 21. Qu'est-ce que les courtisans ont dit? 22. Pourquoi le roi veut-il porter le manteau ce jour-là? 23. Où est-ce que le roi est allé ensuite? 24. Qui est-ce qui voyait le manteau? 25. Qu'est-ce que les enfants ont dit? 26. Qu'est-ce que le vieillard a dit? 27. Où étaient les trois tisserands? 28. Qu'est-ce qu'ils ont emporté avec eux?

B. — *Complétez les phrases suivantes:* il me faudra (beaucoup d'argent), il lui faudra . . ., il nous faudra . . ., il vous faudra . . ., il leur faudra . . .; j'ai beau (regarder), je ne vois pas (l'étoffe), il a beau . . . il ne voit pas . . ., nous avons beau . . . nous ne voyons pas . . ., ils ont beau . . . ils ne voient pas . . .; je fais semblant de (travailler), il fait semblant de . . ., nous faisons semblant de . . ., ils font semblant de . . .; je ne sais pas (tisser), il ne sait pas . . ., nous ne savons pas . . ., vous ne savez pas . . ., les trois tisserands ne savent pas . . .

C. — *Trouvez les questions aux réponses suivantes:* non, monsieur, il ne voyait rien; oui, monsieur, je dis toujours la vérité; non, monsieur, je n'avais pas peur du roi; oui, madame, je vais me promener; oui, madame, ce chapeau vous va très bien; non, madame, je ne porterai pas de manteau; oui, monsieur, nous le lui avons dit ce matin; mais, si, monsieur, nous le leur avons tout dit; non, non, monsieur, il n'est pas possible de faire cela; oui, madame, je les ai cherchés partout; je n'en ai trouvé que cinq; il y en a dix au moins; non, monsieur, je n'y suis pas allé.

LES LUNETTES

A. — 1. Qu'est-ce que Martin dit à sa femme? 2. Comment s'appelle-t-elle? 3. Que répond-elle? 4. Pourquoi Martin veut-il vendre son âne? 5. Que fera-t-il avec de l'argent? 6. Qu'est-ce qu'il saurait s'il avait des lunettes? 7. Qu'est-ce qu'il pourrait lire avec des lunettes? 8. Pourquoi voudrait-il lire l'almanach? 9. Quand il pourra lire l'almanach, qu'est-ce qu'il saura d'avance? 10. Qu'est-ce qu'il y a sur la place du marché? 11. Pourquoi Martin vend-il son âne à bon prix? 12. Chez qui va-t-il quand il a vendu son âne? 13. Que voudrait-il acheter? 14. Que fait le marchand de lunettes? 15. Comment Martin trouve-t-il ces lunettes? 16. Pourquoi ne sont-elles pas bonnes? 17. Comment le marchand s'aperçoit-il que Martin ne sait pas lire?

B. — *Conjuguez les verbes suivants au subjunctif présent:*

aller: il faut que j'aille au marché; il faut que tu . . ., *etc.*
vendre: il faut que je vende mon âne; il faut que tu . . ., *etc.*
être: il faut que je sois riche; il faut que tu . . ., *etc.*
avoir: il faut que j'aie de l'argent; il faut que tu . . ., *etc.*

C. — *Identifiez tous les temps des verbes qui se trouvent dans le conte* Les Lunettes.

UN BON TOUR

A. — 1. Avez-vous entendu parler de Louis XIV? (*Répondez par une phrase complète*). 2. Où demeurait-il? 3. Est-ce que Versailles est près ou loin de Paris? 4. Qu'est-ce qu'on admire dans le jardin de Versailles? 5. Qu'est-ce que le roi écrivait? 6. A qui montrait-il ses vers? 7. Où se promenait-il avec trois messieurs? 8. Pourquoi leur joua-t-il un bon tour? 9. Pourquoi les poètes lui envoyaient-ils leurs poèmes? 10. Qu'est-ce que le roi lit aux trois messieurs? 11. Après la lecture, qu'est-ce qu'il leur demanda? 12. Qu'est-ce que le premier monsieur pense de ce poème? le deuxième monsieur? le troisième monsieur? 13. Qui a écrit ce poème? 14. Qu'est-ce que le premier monsieur pense maintenant du poème? le deuxième monsieur? le troisième monsieur? 15. Qu'est-ce que le roi leur répondit?

B. — *Remplacez les tirets par les mots convenables:* 1. Louis XIV demeurait à Versailles, —— tout le monde admire le grand palais.

2. Louis XIV était un roi —— aimait écrire des vers. 3. Les vers —— il écrivait étaient bien mauvais. 4. Il voulait savoir —— —— les trois messieurs en pensaient. 5. Ils ont dit que —— —— a écrit ce poème était un imbécile. 6. Le roi a dit qu'il était d'accord avec ——. 7. Il leur a dit: « C'est —— —— je pense. » 8. Le roi est —— —— a écrit le poème. 9. Un des messieurs dit qu'il ne comprend pas —— —— est écrit en vers. 10. Un autre dit que le roi était le —— poète du pays. 11. Il dit qu'il a parlé sans ——. 12. Louis XIV —— a joué un bon tour.

C. — *Faites une phrase complète avec chacune des expressions suivantes:* entendre parler de, être d'accord avec, penser de, avoir confiance en, avoir besoin de, faire attention à, avoir raison, sans rien dire, sans réfléchir, ne valoir rien.

VOCABULAIRE

This vocabulary includes, besides the words of the reading text, those of the directions for stage setting and those of the songs.

A

à to, at, in, on, with

a: *see* **avoir**

abord: **d'**—, first; **tout d'**—, from the very first

aboyer bark

abreuve *pres. subj. 3d sing. of* **abreuver**

abreuver drench

une **absence** absence

absolument absolutely

un **accent** note

accepter accept

accompagner accompany

un **accord**: **être d'**—, agree

accorder grant, give

accoure *pres. subj. 3d sing. of* **accourir**

accourir hasten

accrocher hook, fasten

acheté, –e bought

acheter buy

> *Pres. Ind.*: **j'achète, tu achètes, il achète, nous achetons, vous achetez, ils achètent**
> *Imperative:* **achète, achetons, achetez**

un **acheteur** buyer

une **addition** check, bill

ad libitum at will, indefinitely

admirable wonderful

une **admiration** admiration

admirer admire

s'affaisser lean, bow one's head

Agathe Agatha

un **agent**: — **de police** policeman

ah! ah! oh!

ai: *see* **avoir**

une **aide** help, assistance

aider help

aie: *see* **avoir**

une **aile** wing

ail's = **ailes**

aille: *see* **aller**

aimable good, kind, amiable

aimer like, be fond of; — **mieux** prefer

un **aîné** elder

ainsi thus, in this manner

un **air** manner, look; **avoir l'**— **(de)** look like, seem

ajouter add

aligner place in a line

alla: **s'en** —, *past def. of* **s'en aller** = **s'en est allé**

allaient: *see* **aller**

allait: *see* **aller**

allé, –e: *see* **aller**

une **allée** path; avenue

allemand, –e German

aller go; fit, become; **comment allez-vous?** how are you? **allons donc!** nonsense! **allons! allez!** come

now! get out! **ça va bien**
(I am) very well, I am
feeling fine; **s'en —**, go
away; **allez-vous-en!** go
away! get out!

Indicative:
PRES. je vais, tu vas, il
va, nous allons,
vous allez, ils
vont
IMP. j'allais, *etc.*
PAST
INDEF. } je suis allé, *etc.*
FUT. j'irai, *etc.*
COND. j'irais, *etc.*
Imperative:
va, allons, allez
Participles:
allant, allé
Subjunctive:
aille

allez: *see* **aller**
allô! hello!
allons: *see* **aller**
allumé, –e lighted
allumer light
une **allumette** match
un **almanach** almanac
alors then
une **ambition** ambition
une **ambulance** ambulance
amener bring, take
un **Américain** American
américain, –e American
l'**Amérique** *f.* America
un **ami** friend
Amiens *city in northern
France*
un **amour** love
s'**amuser** enjoy (divert) oneself, have a good time;
play
un **an** year
ancien, –ne old; former
un **âne** donkey
anglais, –e English; **l'—**,
English (*language*)

un **Anglais** Englishman
l'**Angleterre** *f.* England
un **animal** animal; les **animaux** animals
une **année** year
annoncer inform, tell
antique ancient
Antoine Anthony
apercevoir discover; notice; **s'—**, notice, perceive
aperçoit *pres. ind. 3d sing.
of* apercevoir
aperçu, –e *past part. of*
apercevoir
appeler call; **s'—**, be called
un **appétit** appetite
appliquer apply
apporter bring
apprend *pres. ind. 3d sing.
of* apprendre
apprendre learn
apprennent *pres. ind. 3d pl.
of* apprendre
approcher approach, come
to; **s'—** (**de**) approach,
draw near
après after; later
un **arbre** tree
un **arc** arch; **l'Arc de Triomphe** Triumphal Arch
(*in Paris*)
une **arête** fishbone
l'**argent** *m.* silver; money
Arlequin Harlequin
une **arme: aux —s!** to arms!
arrêté, –e arrested
arrêter arrest; stop; **s'—**,
stop
arriver come, arrive
arrondir round
s'**asseoir** sit down

Pres. Ind.: **je m'assieds**
(*or* **je m'assois**), **tu t'assieds** (**assois**), **il s'assied**
(**assoit**), **nous nous as-
seyons** (**assoyons**), **vous**

164

vous **asseyez (assoyez), ils s'asseyent (assoient)**
Imperative: **assieds-toi (assois-toi), asseyons-nous (assoyons-nous), asseyez-vous (assoyez-vous)**
Participles: **s'asseyant (assoyant), assis**

asseyez-vous *imper. of* **s'asseoir**
assez enough
une **assiette** plate
assis, –e seated
s'assoit *pres. ind. 3d sing. of* **s'asseoir**
s'assombrir grow dark
assuré, –e confident; **d'un air —,** with assurance
assurément surely
assurer assure
atlantique Atlantic
attacher fasten, tie
attendre wait (for)
attraper catch
au = à + le
une **auberge** inn
aucun: ne ... —, none, no
un **auditoire** audience
aujourd'hui today
auprès (de) near, to
aura: *see* **avoir**
aurai: *see* **avoir**
aurais: *see* **avoir**
auras: tu —, you shall (thou shalt) have
aurez: *see* **avoir**
auriez: *see* **avoir**
aurons: *see* **avoir**
aussi also, too; as
aussitôt immediately; **— que** as soon as
autant as much, as many
un **auteur** author
un **autobus** (omni)bus
autour around

autr' = autre
autre other, different, another; **l'un après l'—,** each in turn
aux = à + les
avaient: *see* **avoir**
avais: *see* **avoir**
avait: *see* **avoir**
avance: d'—, in advance
avant before; **en —,** forward
un **avare** miser
avare miserly, avaricious
avec with
une **aventure** adventure
un **aveugle** blind man
aveugle blind
avez: *see* **avoir**
aviez: *see* **avoir**
un **avis** opinion; **je suis d'—,** I am of the opinion; **à mon —,** in my opinion
avoir have; be the matter with; **— froid (chaud)** be cold (warm); **— peur** be afraid; **— à** have to; **— beau:** *see* **beau**

Indicative:
PRES. j'ai, tu as, il a, nous avons, vous avez, ils ont
IMP. j'avais, *etc.*
PAST INDEF. } j'ai eu, *etc.*
FUT. j'aurai, *etc.*
COND. j'aurais, *etc.*
Imperative:
aie, ayons, ayez
Participles:
ayant, eu
Subjunctive:
aie

avons: *see* **avoir**
avouer admit
ayant: *see* **avoir**
ayez: *see* **avoir**

B

les **bagages** luggage, baggage
bah! pooh! nonsense!
le **baiser** kiss
le **bal** dance
le **balai** broom
la **balance** scale(s)
balayer sweep
la **balle** bullet
le **banc** bench
le **banquet** banquet
bat *pres. ind. 3d sing. of* battre
le **bataillon** battalion
le **bateau** boat, ship
le **bâton** stick
battre beat, strike; **se —,** fight
bavarder prattle
beau, belle beautiful, fine; **il a beau courir** no matter how fast he runs; **il avait beau ouvrir les yeux** no matter how much he looked
beaucoup many, much, very much, very, a great deal
la **beauté** beauty
belge Belgian
belle: *see* **beau**
Benoît Benedict
la **bergère** shepherdess
besoin: avoir — de need
la **bête** animal
bête stupid
bien well, very well; very; very much, very many; comfortable; quite; **eh —,** well then, well; **c'est —,** very well
bientôt soon
le **bijou** jewel
bis repeat (*in song*)
blanc, blanche white

le **blé** wheat
bleu, –e blue
blond, –e fair, light
boire drink
> *Pres. Ind.:* je bois, tu bois, il boit, nous buvons, vous buvez, ils boivent

le **bois** wood
boit: *see* **boire**
la **boîte** box
boivent: *see* **boire**
bon, –ne good; **bon!** very well!
le **bonheur: par —,** fortunately
bonjour good morning
bonsoir good evening, good night
le **bord** edge; **au — du chemin** by the roadside
Bordeaux *city in southwestern France*
borné, –e bounded
la **bosse** hump
le **bossu** hunchback; **être —,** be a hunchback
la **bouche** mouth
la **bouchée** mouthful
le **boucher** butcher
bouger move, stir
le **boulanger** baker
le **bouledogue** bulldog
le **boulevard** boulevard
le **bourgeois** (middle-class) citizen; **Le Bourgeois Gentilhomme** *one of Molière's famous plays*
bourré, –e stuffed
la **bourrique** donkey, burro
le **bout** end; **au — de** after, at the end of
la **bouteille** bottle
la **boutique** shop
la **branche** branch
le **bras** arm
brave brave; good

la **Bretagne** Brittany
le **briquet: battre le —,** strike
the flint (*to get a light*)
broder embroider
le **bruit** noise, racket
brun, –e brown
la **brune** brunette
bu *past. part. of* **boire**
la **bûche** log
le **bûcheron** woodcutter

C

ça that, it; **comme —,** like
that, so; **c'est —!** that's
it! that's the idea! all
right! **si c'est comme
—,** if that is the case
le **cabinet** office
caché, –e hidden
cacher hide; **se —,** hide
(oneself)
le **cadeau** present, gift
la **cage** cage
le **camarade** companion, play-
mate; **— d'école** school-
mate
la **campagne** country, coun-
tryside; **à la —,** in the
country
le **canapé** sofa
le **canard** duck
la **cane** female duck
capable able, capable
la **capitale** capital
car for
la **carotte** carrot
la **carrière** field
la **carte** map
le **carton** pasteboard
casser break; **se —,** break
causer cause; give
c'qu'on = ce qu'on
ce, cet, cette this; that
ce he, she, it, that; **— que,
— qui** that which, what;

— que c'est que what is;
c'est que the fact is that;
I must tell you that
ceci this
cela that; **c'est pour —,**
that is the reason
célèbre famous
célébrer celebrate
celle: *see* **celui**
celui, celle he, she; the
one; **—-ci** the latter,
this one
la **cendre** ashes
cent (one) hundred
le **centime** centime (*hun-
dredth part of a franc*)
central, –e central
cependant however
le **cercueil** coffin, grave
certain, –e sure, certain
certainement certainly
le **cerveau** brain; **rhume de
—,** head cold
ces these, those
cet, cette: *see* **ce**
ceux, celles these, those;
—-ci these, the lat-
ter
chacun, –e everyone, each
one, each
le **chagrin** sorrow
la **chaise** chair
la **chaleur** heat
la **chambre** room, bedroom
le **chameau** camel
le **champ** field
la **chance** luck
la **chandelle** candle
changer change
la **chanson** song
chanter sing
le **chapeau** hat
chaque each
le **charbon** coal
Charenton *well known insane asylum near Paris*

charitable charitable

le **charlatan** quack doctor

charmant, –e charming, lovely

le **charpentier** carpenter

la **chasse** hunt, hunting; **à la —,** hunting

chasser pursue, drive out

le **chasseur** hunter

le **chat** cat; **au —!** 'sic 'em!

le **château** castle

le **chaton** kitten

chaud, –e warm; **il fait —,** it is warm (hot); **avoir —,** be warm (hot)

se **chauffer** warm oneself

la **chaussette** sock, hose

le **chef** chief, leader; **— de police** chief of police

le **chef-d'œuvre** masterpiece

le **chemin** way, road; **en —,** on the way

la **cheminée** fireplace

la **chemise** shirt

le **chêne** oak

cher, chère dear; expensive

cher dearly

chercha *past def. 3d sing. of* **chercher**

chercher get; look (for), search

chéri, –e beloved

le **cheval** horse; **à —,** on horseback; **aller à —,** ride; les **chevaux** horses

le **cheveu** hair; les **cheveux** hair

la **chèvre** goat

chez at, to; at (to) the house of; **— moi (lui,** *etc.*) at (to) my (his, *etc.*) house; home

le **chien** dog

le **chirurgien** surgeon

choisir choose

la **chose** thing; **quelque —,** something; **pas autre —,** nothing else

le **chou** cabbage

le **chou-fleur** cauliflower

Christophe Colomb Christopher Columbus

le **ciel** sky

le **cigare** cigar

cinq five

cinquante fifty

cinquième fifth

le **cirque** circus

le **ciseau: les —x** scissors

le **citoyen** citizen

le **clair de lune** moonlight

la **clé** key; **fermer à —,** lock

le **client** patient; customer

cloué, –e nailed

le **cochon** pig

le **cœur** heart

le **coiffeur** barber

le **coin** corner

coin! coin! quack! quack!

la **colère** anger; **se mettre en —,** become very angry; **en —,** angry

coller paste

combats *imper. 2d sing. of* **combattre**

combattre fight

combien how much; how many; **— voulez-vous pour . . .?** how much do you want for . . .?

la **comédie** comedy, play; joke

commander order

comm' = comme

comme as, like; as if; how; for; **— c'est beau!** how beautiful it is!

commencer begin

comment how

le **commerce** business

la **compagne** wife, mate

la **compagnie** company; **en —
de** accompanied by
le **compagnon** companion
le **compèr' = compère** neighbor
complet, complète full
complètement completely
comprend: *see* **comprendre**
comprendre understand

Pres. Ind.: je **comprends,
tu comprends, il comprend,
nous comprenons, vous
comprenez, ils comprennent**
Participles: **comprenant,
compris**

comprends: *see* **comprendre**
comprennent: *see* **comprendre**
compris, -e *past part. of*
comprendre
compté, -e counted
compter count
la **condition** condition; terms
le **conducteur** conductor
conduire lead; take; drive
conduis *imper. 2d sing. of*
conduire
conduit *pres. ind. 3d sing.
of* **conduire**
conduit, -e *past part. of*
conduire
la **confiance** confidence, faith;
avoir — en trust
confortable comfortable
conjuguer conjugate
conjurer plot, conspire
connais: *see* **connaître**
la **connaissance** knowledge
connaissent: *see* **connaître**
connaissez: *see* **connaître**
connaît: *see* **connaître**
connaître know, be acquainted with

Pres. Ind.: je **connais, tu
connais, il connaît, nous
connaissons, vous connaissez, ils connaissent**

la **conscience** conscience
consister consist
la **consultation** consultation
consulter consult
le **conte** story, tale
contenir contain
content, -e pleased, glad,
happy
contiennent *pres. ind. 3d
pl. of* **contenir**
continuer continue, keep
on; **— son chemin** continue on one's way
contracter contract
la **contraction** contraction
le **contraire** contrary, opposite
contrarier annoy; contradict
contre against; for
convenable suitable
le **coq** cock, "rooster"
la **corde** rope
le **cordonnier** shoemaker
le **corps** body
le **corridor** hall
le **corrigan** elf (*in folklore of
Brittany*)
le **cosmétique** cosmetic
le **côté** side; **de ce —,** in this
direction; **à —,** nearby
le **coton** cotton
couché, -e lying (down)
se **coucher** go to bed; lie
down
la **couleur** color
le **coup** blow; **tout à —,** suddenly; **— de bâton** blow
with a stick; **donner des
—s de bâton** beat
coupable guilty
couper cut (off)

la **cour** court, yard
   courant, –e running
   courent: *see* **courir**
   courez: *see* **courir**
   courir run

> *Pres. Ind.:* je **cours, tu cours,** il **court,** nous **courons,** vous **courez,** ils **courent**

   courons: *see* **courir**
   cours: *see* **courir**
le **cours** course
   court: *see* **courir**
   court, –e short
le **courtisan** courtier
   coûter cost; — **très cher** be very expensive
le **couvert:** mettre le —, set the table
   couvrent *pres. ind. 3d pl. of* **couvrir**
   couvrir cover
   cri' = **crie:** *see* **crier**
le **cri** cry
   crier cry out, shout; — **de toutes ses forces** shout as loud as one can; **en criant** shouting
   criminel, –le criminal
   croient: *see* **croire**
   croire believe, think; **je croyais être** I thought I was

> *Indicative:*
> PRES. je **crois,** tu **crois,** il **croit,** nous **croyons,** vous **croyez,** ils **croient**
> IMP. je **croyais,** *etc.*
> PAST INDEF. $\big\}$ **j'ai cru,** *etc.*
> FUT. je **croirai,** *etc.*
> COND. je **croirais,** *etc.*
> *Imperative:*
>   **crois, croyons, croyez**

> *Participles:*
>   **croyant, cru**

   crois: *see* **croire**
   croit: *see* **croire**
   croyaient: *see* **croire**
   croyais: *see* **croire**
   croyait: *see* **croire**
la **cuillère** spoon
la **cuisine** kitchen; **faire la** —, cook
la **cuisinière** cook
la **cure** cure
le **curé** parish priest
   curieu–x, –se curious, inquisitive
la **curiosité** wonder

D

la **dame** lady
le **danger** danger
   dangereu–x, –se dangerous
   dans in, into
la **danse** dance
   danser dance
le **dauphin** dauphin (*eldest son of a king of France*)
   de of, from, by, with, in, about; some, any
   déchiré, –e torn
   décidé, –e decided; **c'est** —, that is settled
   décider decide
   déclarer declare
   découragé, –e discouraged
   découvert, –e *past part. of* **découvrir**
   découvrir discover
le **défenseur** defender
   déjà already
   déjeuner breakfast
le **déjeuner** breakfast; **faire le** —, prepare breakfast
   demain tomorrow; **après-** —, day after tomorrow

demander ask (for); **se
—**, wonder
demeurer live, reside
la **dent** tooth
dépenser spend
déployer spread
derni–er, –ère last
derrière behind; **par —,**
behind, in the rear
des = de + les
dès from; since; **— longtemps** a long time ago
désagréable disagreeable
descendre come down, go
down, go downstairs, get
down; get off, alight,
descend
désespéré, –e frantic, in
despair
désirer desire, want
désolé, –e grieved, dis-
tressed
désormais henceforth,
hereafter
le **dessert** dessert
dessous under; **au —,** be-
low; **en —,** beneath
dessus over
la **destination** destination
détester hate
deux two; **tous les —,**
both
deuxième second
devant before, in front
of
le **devant** front; **par —,** in
front; **aller au —,** go
to meet
devenait *imp. ind. 3d sing.
of* **devenir**
devenir become
devez: *see* **devoir**
devient *pres. ind. 3d sing.
of* **devenir**
deviner guess
la **devise** motto

devoir owe; have to, must;
vous auriez dû you
should have

Indicative:
PRES.   je dois, tu dois,
il doit, nous de-
vons, vous devez,
ils doivent
IMP.   je devais, *etc.*
PAST ⎫
INDEF. ⎬ j'ai dû, *etc.*
FUT.   je devrai, *etc.*
COND.   je devrais, *etc.*
Participles:
devant, dû

dévoué, –e devoted
devrait: *see* **devoir**
devriez: *see* **devoir**
le **diable** devil; **diable!** con-
found it!
le **diamant** diamond
le **dictionnaire** dictionary
Dieu God; **mon —!** good
heavens!
différent, –e different, vari-
ous
difficile difficult
la **difficulté** difficulty, trouble
la **dilatation** expansion
dilater expand
le **dimanche** Sunday
diminuer become smaller
le **dîner** dinner; **faire un bon
—,** have a good dinner
dîner dine
dira: *see* **dire**
dirai: *see* **dire**
dirait: *see* **dire**
dire tell, say; **en disant**
saying; **se —,** say to
oneself

Indicative:
PRES.   je dis, tu dis, il
dit, nous disons,
vous dites, ils
disent

171

IMP. je disais, *etc.*
PAST
INDEF. } j'ai dit, *etc.*
FUT. je dirai, *etc.*
COND. je dirais, *etc.*
Imperative:
dis, disons, dites
Participles:
disant, dit

dis: *see* dire
disaient: *see* dire
disait: *see* dire
disant: *see* dire
discuter discuss, argue
disent: *see* dire
disparaît *pres. ind. 3d sing.*
of disparaître
disparaître disappear
disparu, –e *past part. of*
disparaître
la distance distance
distinctement plainly
distingué, –e distinguished
dit, –e told
dit *past def. of* dire = a dit
dites: *see* dire
divisé, –e divided
dix ten
le docteur doctor, physician
le doigt finger
dois: *see* devoir
doit: *see* devoir
doivent: *see* devoir
le domestique servant
dommage: c'est —, that's
too bad, that's a shame
donc therefore, then, con-
sequently, indeed; où
est-il —? where can he
be? mettez —, do put
on; asseyez-vous —,
please sit down
donné, –e given
donner give; — sur la rue
look out into the street
dont of which

dormaient: *see* dormir
dormez: *see* dormir
dormi: *see* dormir
dormir sleep

Indicative:
PRES. je dors, tu dors,
il dort, nous dor-
mons, vous dor-
mez, ils dorment
IMP. je dormais, *etc.*
PAST
INDEF. } j'ai dormi, *etc.*
FUT. je dormirai, *etc.*
COND. je dormirais, *etc.*
Imperative:
dors, dormons,
dormez
Participles:
dormant, dormi

dort: *see* dormir
le dos back
le doute doubt; sans —, no
doubt, of course
dou-x, –ce soft, gentle
la douzaine dozen; à la —,
for a dozen
le drapeau flag
la droite: à —, to the right
drôle comical, funny, queer;
un — d'individu a queer
fellow
du = de + le
dû, due: *see* devoir

E

l'eau *f.* water
s'écarter step aside
échouer fail
un éclair flash of lightning
éclater burst; — de rire
burst out laughing
une école school
écouter listen (to)
s'écrier cry out, exclaim
écrire write

172

Pres. Ind.: j'écris, tu écris, il écrit, nous écrivons, vous écrivez, ils écrivent
Participles: écrivant, écrit

écris: *see* écrire
écrit: *see* écrire
écrit, –e written
un écriteau sign
un écrivain writer
écrivait *imp. ind. 3d sing. of* écrire
une écuelle bowl
une écurie stable
effacer erase
un effet effect; en —, indeed
égal, –e equal
une église church
égorger slaughter
eh: *see* bien
élégant, –e fashionable
un éléphant elephant
un élève student
ell' = elle
elle she, her; it; —-même herself
emballage: boîte d'—, packing case *or* box
emmener take (away)
empêch' = empêche
empêcher prevent; ça n'empêch' pas nevertheless
empoisonner poison
emporter carry away; en emportant carrying away
en *prep.* in, into; on, to, at; by
en *pron.* of it, of them; some; about it
encore yet, still, more, again; — un morceau another piece
s'endormir fall asleep
s'endort *pres. ind. 3d sing. of* s'endormir
un endroit place

un enfant child
enfin finally, at last
enlever remove
un ennemi enemy
énorme enormous
une enseigne sign
ensemble together
ensuite after, afterwards, then
entamer start
entendit *past def. 3d sing. of* entendre = a entendu
entendre hear
enterré, –e buried
enterrer bury
entièrement entirely
entourer surround
une entrave fetter
entre between, among, in
une entrée entrance; l'— d'un port mouth of a harbor
entrer enter, come in, go into; en entrant on entering
envers to, toward; à l'—, upside down
une envie: avoir — de be anxious, want
envoyer send
épais, –se thick
une épaule shoulder
un épicier grocer
épouser marry
épouvantable frightful, horrible
éprouver test
équivalent, –e equivalent, equal
l'esclavage *m.* slavery
un esclave slave
l'Espagne *f.* Spain
espagnol, –e Spanish
espérer hope, expect
espiègle mischievous
essayer try (on)
est: *see* être

173

est-ce que *an expression used to introduce a question, as in* est-ce que la chanson est longue? *is the song long?*

un estomac stomach; **avoir mal à l'—**, have a stomach-ache

et and

étaient: *see* être

étais: *see* être

était: *see* être

les États-Unis United States

un été summer

été: *see* être

s'éteindre go out

s'éteint *pres. ind. 3d sing. of* s'éteindre

un étendard standard

étendit *past def. 3d sing. of* étendre = a étendu

étendre stretch, extend

êtes: *see* être

une étiquette label

une étoffe cloth

un étonnement astonishment

étrange strange

un étranger, une étrangère stranger

être be; **y —**, be there, be at home

Indicative:

PRES.	je suis, tu es, il est, nous sommes, vous êtes, ils sont
IMP.	j'étais, *etc.*
PAST INDEF.	} j'ai été, *etc.*
FUT.	je serai, *etc.*
COND.	je serais, *etc.*

Imperative:

sois, soyons, soyez

Participles:

étant, été

Subjunctive:

sois

un étudiant student

étudier study

eu: *see* avoir

eux them, themselves

exact, -e accurate

exactement exactly

une exagération exaggeration

exagérer exaggerate

un examen examination

examiner examine, look at

excellent, -e excellent, delicious

excepté except

exciter arouse

une excuse: **faire ses —s** apologize

un exemple example; **par —**, for instance

un exercice exercise

une expérience experience

expirant dying

une explication explanation

expliquer explain; **s'—**, explain oneself; be explained

une expression expression

extraordinaire extraordinary, remarkable

extrêmement exceedingly

F

se fâcher get angry

facile easy

facilement easily, readily

faible faint

la faïence porcelain; **chat en —**, porcelain cat

la faim hunger; **avoir —**, be hungry

faire do, make; **— attention** pay attention; **il fait froid (chaud)** it is cold (warm); **se —**, be made; **se — comprendre** make oneself understood

Indicative:
PRES. je fais, tu fais, il fait, nous faisons, vous faites, ils font
IMP. je faisais, *etc.*
PAST } j'ai fait, *etc.*
INDEF. }
FUT. je ferai, *etc.*
COND. je ferais, *etc.*
Imperative:
fais, faisons, faites
Participles:
faisant, fait
Subjunctive:
fasse

fais: *see* faire
faisaient: *see* faire
faisait: *see* faire
fait: *see* faire
fait, –e done, made
faites: *see* faire
fallait: il fallait *imp. ind. 3d sing. of* falloir
falloir must, be necessary; need; comme il faut correctly; il faut le partager it must be divided; il ne faut pas faire cela you must not do that; il me faut plus . . . , I need more . . . ; que faut-il lui faire? what shall we do to him?
fameu–x, –se famous
la famille family
Fanchon Fanny
fatigué, –e tired
faudra: il faudra *fut. of* falloir
faut: il faut *pres. ind. 3d sing. of* falloir
la faute fault, mistake
le fauteuil armchair
favorable favorable, propitious
la fée fairy

la femme woman, wife
fenêt' = fenêtre
la fenêtre window
le fer iron; les —s irons
fera: *see* faire
ferai: *see* faire
feraient: *see* faire
ferait: *see* faire
ferez: *see* faire
ferma *past def. of* fermer = a fermé
la ferme farm
fermer shut, close; se —, shut
féroce fierce
ferons: *see* faire
la fête holiday
le feu fire; light; faire du —, make a fire
la feuille leaf, sheet
la ficelle string
fidèl's = fidèles
fidèle faithful
fier, fière proud
figurer represent
le fil thread
la fille girl; daughter
le fils son
la fin end, conclusion; à la —, at length, finally
finir finish
fit *past def. of* faire = a fait
la fleur flower, blossom
le fleuve river
la foi faith; ma —! upon my word! ma —, oui! yes indeed!
le foin hay
la foire fair
la fois time; une —, once
la folie madness
le fond bottom, background
font: *see* faire
la fontaine fountain
la force strength; de toutes ses —s with all his might

forcer compel, force

la forêt forest

former form; se —, be made

la formule formula

fort hard; loud

la fortune fortune

fou, folle insane, mad

le fou madman

la foule crowd

le franc franc; un — cinquante (centimes) a franc and a half

français, –e French; le —, French (*language*)

le Français Frenchman

François Francis

Françoise Frances

frapp' = frappe

frappa *past def. of* frapper = a frappé

frapper knock, strike, pound; — à la porte knock at the door

fréquenter associate (with)

le frère brother; friar

fripon: d'un air —, slyly

frit, –e fried

le froid cold; avoir —, be cold; il fait —, it is cold

le fromage cheese; — au lait milk cheese

frotter rub

le fruit fruit

furieu–x, –se furious, in a rage

le fusil gun; — à air comprimé air gun

G

gagné, –e won, made

gagner earn; win; make; — assez pour vivre earn enough to live

gai, –e merry, in high spirits

garanti, –e guaranteed

le garçon boy; porter, waiter

garder keep; tend

Gargantua *title of a book by Rabelais*

la Gascogne Gascony

gascon, –ne Gascon

le Gascon Gascon

gaspiller waste

Gaston Gaston

gâter spoil

gauche left; à —, to the left

général, –e general; en —, generally

généralement generally

généreu–x, –se generous

les gens people; les jeunes —, young men; young people; — de la campagne country people

le gentilhomme gentleman, nobleman

la géographie geography

le gérant manager

le geste gesture

la girafe giraffe

la glace ice

glaner glean

la gloire glory

gorg' = gorge

la gorge throat; avoir mal à la —, have a sore throat

le gosier throat

la grammaire grammar

grand, –e great, large; wide; tall, big; ouvrir la bouche toute —e open the mouth as wide as one can

la grandeur size; de quelle —, how large

grave serious, solemn

grec, grecque Greek; le
—, Greek (*language*)
Grigou *name of a miser*
gris, –e gray
grondé, –e scolded
gronder scold
gros, –se large, big, stout
grotesque grotesque
le groupe group
guéri, –e cured
guérir cure
la guerre war
le guide guidebook

H

habile skilful
habillé, –e dressed
s'habiller dress
un habitant inhabitant, resident
le haricot bean; —s verts
French beans, string
beans
Harpagon *name of miser in
play of Molière*
haut, –e high
un héraut herald
une herbe grass, herb
hésiter hesitate, falter
une heure hour; time; de
bonne —, early; tout à
l'—, not long ago
heureu–x, –se happy
une histoire history; tale, story
un hiver winter
hollandais, –e Dutch
un homme man
honnête honest
la honte shame; avoir —, be
ashamed
un hôpital hospital; — des
fous insane asylum
la horde horde
hors out
un hôtel hotel, inn; Hôtel de

ville city hall; Hôtel de
la Paix *well-known hotel
in Paris*
hue! get up! giddap!
huit eight
une huître oyster

I

ici here; par —, this way
une idée idea
identifier identify
ignoble base
il he; it; there; — y a
there is (are)
illustre renowned, eminent
ils they
une imagination imagination
un imbécile idiot, fool
immédiatement immediately
une impatience impatience
impatienté, –e out of patience
une importance importance;
avoir de l'—, be of importance
important, –e important
impossible impossible
un imposteur impostor
une imposture fraud
impur, –e impure
indiquer indicate, show
un individu fellow
industrieu–x, –se industrious
infiniment infinitely, very
much
injuste unjust, unfair
inqui–et, –ète anxious, uneasy; d'un air —, anxiously
inscrire inscribe, write
(down)
inscrit, –e *past part. of* inscrire

insister insist
installer install
une **intelligence** intelligence
intelligent, –e intelligent, clever
intéressant, –e interesting
intime intimate, close
Invalides: Hôtel des —, *old soldiers' home in Paris (contains Napoleon's tomb)*
un **inventeur** inventor
invisible invisible
inviter invite, bid
ira: *see* **aller**
irai: *see* **aller**
italien, –ne Italian

J

Jacques James
jalou–x, –se jealous, anxious
jamais ever; **ne ... —,** never
la **jambe** leg; **à toutes —s** as fast as possible
le **janvier** January
le **jardin** garden
je I
Jean John
jeter throw; **se —,** throw oneself; empty (*as a river*)
le **jeudi** Thursday
jeune young
joli, –e pretty, lovely
jouer play
jouir enjoy
le **jour** day; daylight; **tous les —s** every day; **par —,** a day; **ce — -là** that day; **le même —,** on the same day
le **journal** newspaper
joyeusement merrily

le **juge** judge
jugé, –e tried
juger judge, try
Julien Julian
jusque even; till, until
juste true; **c'est —,** that's right
la **justice** justice; court of justice

K

le **kilomètre** kilometer (*about five eighths of a mile*)

L

la the; her; it
là there; **par —,** that way
là-bas over there
laid, –e ugly
laisser leave; let; allow; **je vous le laisse** I let you have it
le **lait** milk
la **langue** tongue; language
le **lapin** rabbit
le **latin** Latin (*language*)
latin, –e Latin
le the; him; it
la **leçon** lesson
la **légende** legend
lég–er, –ère light
le **légume** vegetable
le **lendemain** next day
lentement slowly
lequel which
les the; them
la **lessive: faire la —,** wash, do the washing
la **lettre** letter
leur their; them, to them
lever raise, lift up; **se —,** rise, get up
Pres. Ind.: **je me lève, tu te lèves, il se lève, nous**

178

nous levons, vous vous levez, ils se lèvent
Imperative: lève-toi, levons-nous, levez-vous

la lèvre lip
la liberté freedom; mettre en —, set free
le lieu place; au — de instead of
le lièvre hare
ligoter bind, tie up
limité, –e limited
le lion lion
lire read

Pres. Ind.: je lis, tu lis, il lit, nous lisons, vous lisez, ils lisent
Participles: lisant, lu

lisiez *imp. ind. 2d pl. of* lire
la liste list
le lit bed; au —, in bed
lit: *see* lire
littéralement literally
le livre book
loger lodge, take in
logique logical
loin far
long, –ue long; le — de along; de — en large up and down
longtemps a long time
lorsque when
lourd, –e heavy
le Louvre *famous museum and art gallery in Paris*
lu, –e: *see* lire
Lucile Lucille
lui he; him, to him; her, to her; it, to it; himself; —-même (he) himself
lui *past part. of* luire
luire gleam
le lundi Monday

la lune moon; pleine —, full moon; il fait clair de —, the moon is shining
les lunettes *f. pl.* spectacles
Lustucru *a man's name*
le lycée *secondary school (corresponding to the American High School and Junior College combined)*
Lyon Lyons (*city in southeastern France*)

M

ma my
le maçon bricklayer
madame madam, my lady, Mrs.
mademoiselle Miss
magique magic
magnifique magnificent, splendid
la main hand; à la —, in the hand
maintenant now, at present
le maire mayor
mais but; — oui why yes; — si! yes you are! yes indeed! — non! of course not, why no!
la maison house; à la —, at home, home
le maître master
le mal pain; — d'estomac stomach-ache; avoir — à have a pain in
mal badly
malade ill, sick
le malade invalid, sick person
la maladie illness, ailment, disease
Malbrough *proper name*
mâle virile, vigorous
malgré in spite of

malheureusement unfortunately

malheureu–x, –se unhappy

malhonnête dishonest

maman mamma, mother

ma'm'selle = mademoiselle

la **Manche** English Channel

le **manège de chevaux de bois** merry-go-round (*with wooden horses*)

mangé, –e eaten

manger eat; **donner à —,** give food, feed

la **manière** manner, way

manquer miss, be missing; **venir à —,** come to be lacking

le **manteau** cloak

le **marchand** dealer

le **marché** market; **bon —,** cheap; **à bon —,** cheaply

marcher walk, march

le **mardi** Tuesday

le **mari** husband

Marie Mary

marier marry off; **se —,** marry, get married

marmit' = marmite

la **marmite** pot

le **Marseillais** inhabitant of Marseilles

la **Marseillaise** *French national hymn*

Marseille Marseilles

le **matelas** mattress

Mathieu Matthew

le **matin** morning; **tous les —s** every morning; **le —,** in the morning; **du — au soir** from morning till night

les **matines** matins (*morning prayers*)

mauvais, –e bad

me me, to me; myself, to myself

méchant, –e wicked, bad

le **médecin** doctor, physician

méditer consider; meditate

la **Méditerranée** Mediterranean Sea

Médor *a dog's name*

meilleur, –e better; **le (la, les) meilleur (–e, –s, –es)** the best

même same; even

le **ménage** household; **faire le —,** do the housework

le **mendiant** beggar

mendier beg

mener lead, drive

> *Pres. Ind.:* je **mène, tu mènes, il mène, nous menons, vous menez, ils mènent**
> *Imperative:* **mène, menons, menez**

mentent *pres. ind. 3d pl. of* **mentir**

le **menteur** liar

mentionner mention

mentir lie

le **menton** chin

la **mer** sea

merci thank you

le **mercredi** Wednesday

mèr' = mère

la **mère** mother

la **merveille: à —,** wonderfully well

merveilleu–x, –se wonderful

mes my

mesdames ladies

mesdam's = mesdames

le **messager** messenger

la **messe** mass

les **messieurs** (*pl. of* **monsieur**) gentlemen

met: *see* **mettre**

la **méthode** method

le **métier à tisser** loom
mets: tu —, you put, thou
   puttest
mettent: *see* **mettre**
mettez: *see* **mettre**
mettre put, place; put on;
   mettez donc do put on;
   — **à la raison** subdue,
   master; **la femme re-
   vêche mise à la raison**
   the taming of the shrew;
   se — **à** begin
   Pres. Ind.: **je mets, tu
   mets, il met, nous mettons, vous mettez, ils
   mettent**
   Imperative: **mets, mettons,
   mettez**
   Participles: **mettant, mis**

Michel Michael
le **midi** noon
mieux better
le **milieu** middle; **au** — **de**
   in the middle (midst) of
mille (one) thousand
le **mille** mile
le **millionnaire** millionaire
mince thin
le **ministre** minister; **le premier** —, prime minister
le **minuit** midnight; **à** —, at
   midnight
la **minute** minute
le **miroir** mirror
mis, –e: *see* **mettre**
la **mise en scène** stage setting
mit *past def. of* **mettre** =
   a mis
la **mode** fashion; **à la** —, in
   style
moi I, me; to me; **moi-
   même** (I) myself
moins less; **au** —, at least
le **mois** month
Molière (1622–1673) *famous French playwright*

le **moment** moment, while,
   time; **à ce** —, just then;
   voilà le —, now is the
   time; **au** — **où** just as;
   en ce —, at this moment, at present
mon my
le **monde** world; people; **tout
   le** —, everybody
la **monnaie** change
le **monsieur** sir, gentleman,
   Mr.; — **le docteur** Doctor
monté, –e: être — **sur** be
   on
monter go up, climb; get on,
   get in, mount; amount,
   come to
montrer show
le **monument** monument
se **moquer** (de) make fun (of)
le **morceau** piece
more *used to give two sylla-
   bles when sung:* **mo-re** =
   mort
mort, –e dead; **ma chandelle est** —**e** my candle
   is out
le **mot** word; **écrire un** —,
   write a few lines
la **moue: faire la** —, pout,
   make a wry face
le **mousquetaire** musketeer
le **mousse** cabin boy
le **mouton** sheep
mouvoir move
le **moyen** way; **au** — **de** by
   means of, with
mugir roar
le **mur** wall

N

le **nain** dwarf
national, –e national
la **nature** nature

naturellement naturally
naviguer sail
le navire ship
ne not; ne...pas not;
    ne...que only
la neige snow
    nettoyer clean
    neuf, neuve new
le nez nose
    ni nor, or
    Nicolas Nicholas
la noce wedding
    noir, –e black
le nom name
le nombre number
    non no; — pas not
le nord north; au — de in
    the northern part of
    nos our
    notre our
le nôtre: les —s ours
la nourriture food
    nous we, us; to us
    nouveau, nouvelle new
la nouvelle news, tidings
    nouvell's = nouvelles
se noyer drown
    nu, –e bare
la nuit night; la —, at night

O

obligé, –e compelled
une occasion opportunity
    occupé, –e busy, occupied;
        filled
    s'occuper de take care of
un océan ocean
un œil eye (*pl.* yeux); mal
    aux yeux sore eyes
    offrir offer

    Pres. Ind.: j'offre, tu
    offres, il offre, nous
    offrons, vous offrez, ils
    offrent

    Imperative: offre, offrons,
    offrez
    Participles: offrant, offert

    oh! oh!
une oie goose
un oignon onion; soupe à l'—,
    onion soup
un omnibus omnibus, bus
    on one, we; people; they
un onguent salve
    ont: *see* avoir
une opération operation
    opérer manage, work
    l'or *m.* gold
    oral, –e oral
    ordinaire ordinary, cheap
    ordonner order, command
un ordre order; donner l'—,
    order
une oreille ear
un organe organ
un orgueil pride
    oser dare
    ôter remove
    ou or; — bien or else, or
    où where
    oublié, –e forgotten
    oublier forget
    l'ouest *m.* west; à l'— de
    in the western part of
    oui yes
un outrage insult
    ouvert, –e open
    ouvrant: *see* ouvrir
    ouvre: *see* ouvrir
    ouvrez: *see* ouvrir
un ouvrier workman
    ouvrir open

    Pres. Ind.: j'ouvre, tu
    ouvres, il ouvre, nous
    ouvrons, vous ouvrez, ils
    ouvrent
    Imperative: ouvre, ouvrons,
    ouvrez
    Participles: ouvrant, ouvert

P

le **page** page (*person*)
la **paille** straw; **tirer à la courte** —, draw lots
le **pain** bread
la **paire** pair
la **paix** peace
le **palais** palace
le **pantalon** trousers
le **papa** papa, father
le **papier** paper
Pâques Easter
par by, through; — **là** that way
le **paradis** paradise
paraît *pres. ind. 3d sing. of* **paraître**
paraître appear
le **paravent** screen
parce que because
le **pardessus** overcoat
le **pardon** pardon; **je vous demande** —, I beg your pardon
parfaitement perfectly, completely
le **pari** wager, bet
parier wager, bet
le **Parisien** Parisian
parler speak
la **paroisse** parish
part: *see* **partir**
le **partage** sharing, dividing
partager share, divide
partant: *see* **partir**
parti, –e: *see* **partir**
la **partie** part
partir leave, go away

> *Pres. Ind.:* **je pars, tu pars, il part, nous partons, vous partez, ils partent**
> *Imperative:* **pars, partons, partez**
> *Participles:* **partant, parti**

partit *past def. of* **partir** = **est parti**
partout everywhere
le **pas** step; **faire quelques** —, take a few steps
pas not; — **encore** not yet
le **passage** passage
le **passant** passer-by
passer pass, cross; spend; — **en courant devant** run in front of; **se** —, pass, go by
la **patrie** fatherland
la **patte** paw
pauvre poor
payé, –e paid
payer pay
le **pays** country; **homme du** —, native
le **paysan** peasant
la **paysanne** peasant woman
la **peine** pain, grief, difficulty
peint, –e painted
se **pencher** bend over
pendant during, for; — **que** while
pende *pres. subj. 3d sing. of* **pendre**
pendre hang; **se** —, hang oneself (itself), stick
penser think; — **à** think about
perdre lose
perdu, –e lost
le **père** father
la **perfection**: **à la** —, perfectly
la **perle** pearl
permettez *pres. ind. 2d pl. of* **permettre**
permettre allow
Perpignan *small city in southern France*
le **perroquet** parrot
la **Perse** Persia
le **personnage** person, actor

la **personne** person
  personne nobody, no one;
    ne ... personne nobody,
    no one
  persuadé, –e convinced
  peser weigh
  p'tit = petit
  petit, –e little, small, tiny
  peu little, few; **un —,** a
    little, slightly
la **peur** fear; **avoir —,** be
    afraid; **sans —,** fearless
  peut: *see* **pouvoir**
  peuvent: *see* **pouvoir**
  peux: *see* **pouvoir**
le **philosophe** philosopher
la **phonétique** phonetics
le **phonographe** phonograph
la **phrase** sentence
la **physique** physics
le **Picard** native of Picardy
la **Picardie** Picardy (*province
    of northern France*)
la **pièce** piece
le **pied** foot; **aller à —,** walk;
  —s nus barefooted; **avoir
  mal au —,** have a sore
  foot
la **pierre** stone
  Pierre Peter
  Pierrot Pierrot
la **pilule** pill
  pis worse; **tant —!** too
  bad! it's a shame!
la **pitié** pity; **avoir — de** be
  sorry for
la **place** place, room; seat;
  (public) square; **à sa —,**
  in (to) his place; **faire
  — (à)** make room (for)
  plaire please; **plaît-il?** beg
  pardon; **s'il vous plaît**
  if you please
la **plaisanterie** jest, joke
le **plaisir** pleasure
  plaît: *see* **plaire**

la **planche** board, plank
le **plancher** floor
la **planchette** little board
  planter plant
le **plat** dish
le **plateau** tray
  plein, –e full, filled
  pleurer cry
  pleut: il —, *pres. ind. of*
    pleuvoir
  pleuvoir rain
la **pluie** rain
la **plume** feather, pen
  plus more; **le (la, les) —,**
    the most; **ne ... —,** no
    more, no longer; **non
    —,** either, neither; **de
    — en —,** more and more
  plusieurs several
la **poche** pocket
le **poème** poem
la **poésie** poetry
le **poète** poet
le **point** point, matter
la **poire** pear
les **pois** peas; **petits —,** green
  peas
le **poison** poison
le **poisson** fish
la **poitrine** chest
la **police** police
  poliment politely
la **pomme** apple; **— de terre**
  potato
le **pompier** fireman
le **pont** bridge
le **port** port; **— de mer** sea-
  port
la **porte** door
  porter carry, bear; take;
  wear, have on; **se —,**
  be; **se — bien** be well
  poser lay, place; **— une
  question** ask a question
  posséder own, possess
  possible possible

le **poulet** chicken
pour to, for; — **que** so that
le **pourboire** tip
le **pourceau** hog
pourquoi why
pourra: *see* **pouvoir**
pourrai: *see* **pouvoir**
pourrais: *see* **pouvoir**
pourrait: *see* **pouvoir**
pourrez: *see* **pouvoir**
pourrons: *see* **pouvoir**
pourtant however, yet, still
pousser grow; push
la **poussière** dust
pouvaient: *see* **pouvoir**
pouvais: *see* **pouvoir**
pouvait: *see* **pouvoir**
pouvez: *see* **pouvoir**
pouvoir be able, can, may

Indicative:
PRES. je peux (puis), tu peux, il peut, nous pouvons, vous pouvez, ils peuvent
IMP. je pouvais, *etc.*
PAST INDEF. } j'ai pu, *etc.*
FUT. je pourrai, *etc.*
COND. je pourrais, *etc.*
Participles:
pouvant, pu

le **pouvoir** power, ability
pouvons: *see* **pouvoir**
la **précaution** precaution; **avec beaucoup de —s** very cautiously
précieu-x, –se precious
se **précipiter** (**sur**) rush (upon); throw oneself on
préférer prefer
premi–er, –ère first; prime; **le —,** the first (one)
prend: *see* **prendre**
prendrai: *see* **prendre**
prendre take; catch

Indicative:
PRES. je prends, tu prends, il prend, nous prenons, vous prenez, ils prennent
IMP. je prenais, *etc.*
PAST INDEF. } j'ai pris, *etc.*
FUT. je prendrai, *etc.*
COND. je prendrais, *etc.*
Imperative:
prends, prenons, prenez
Participles:
prenant, pris

prendrons: *see* **prendre**
prends: *see* **prendre**
prenez: *see* **prendre**
prennent: *see* **prendre**
préparer prepare
près (**de**) near; **à peu —,** about, thereabouts
la **présence** presence; **en — de** in the presence of
présenter bring (forward); **se —** (**à**) appear (before)
le **président** president
presque almost
prêt, –e ready
prête *imper. 2d sing. of* **prêter**
la **prétention** pretension; **avoir la —,** claim
prêter lend
prier pray, beseech, beg, request; **je vous prie** pray, I beg of you, please
la **prière** prayer
la **princesse** princess
principal, –e chief, main
pris, –e: *see* **prendre**
privé, –e private
le **prix** price
la **probité** honesty
prochain, –e next

le **professeur** professor
la **profession** profession, business
profond, –e deep
se **promener** walk, take a walk; ride
la **promesse** promise, word
promets *pres. ind. 1st sing. of* promettre
promettre promise
prononcé, –e pronounced
prononcer pronounce, utter; faire —, have pronounced
la **prononciation** pronunciation
propos: à —, by the way
le **propriétaire** owner, proprietor
la **province** province
la **prune** plum
pu: *see* pouvoir
la **puce** flea
puis then
puisque since
pur, –e pure, clear

quelque some, a little; *pl.* a few
quelquefois sometimes
quelqu'un, –e somebody, some one
se **quereller** quarrel
qu'est-ce que? what? — **c'est?** what is it? — **c'est que ça?** what is that? **qu'est-ce qu'il y a?** what is the matter?
qu'est-c'qui = qui est-ce qui
la **question** question
la **queue** tail
qui who, whom, which
qui est-ce qui? who?
quinze fifteen
quitter leave
quoi what; à — **bon?** why? **il n'y a pas de —,** don't mention it! de — **est-elle malade?** what ails her?

Q

la **qualité** quality; **de première —,** of the best quality
quand when
quarante forty
quatr' = quatre
quatre four
quatrièm' = quatrième
quatrième fourth
que whom, that, which, what; as; than; ne . . . —, only; je n'en ai plus — cinq I have only five left
qu'est = qu'il est
quel, –le what, which, who
quell's = quelles

R

Rabelais (1495–1553) *great French writer*
raconter relate, tell
le **ragoût** stew
la **raison** reason; **vous avez —,** you are right; **mettre à la —,** subdue, master
ramasser gather, pick up
la **rangée** row, line
rapidement rapidly
rapiécé, –e patched
le **rapport** relation
rapporter bring back
rapprocher bring together
rare extraordinary, unusual
rarement rarely, seldom
ravir: à —, wonderfully well

la **réalité** reality

recevoir receive

reçois *pres. ind. 1st sing. of* **recevoir**

reçoit *pres. ind. 3d sing. of* **recevoir**

la **récolte** harvest, crop

recommencer begin again

la **récompense** reward

récompenser reward

se **réconcilier** be reconciled

reconnaître discover

reçu, –e received

réfléchir think (over), consider

le **refrain** chorus

r'garde = **regarde**

regarder look (at); watch; concern; **ça ne me regarde pas** that is none of my business

regretter be sorry

la **reine** queen

se **relèv'nt** = se **relèvent**

se **relever** rise

remarquable remarkable

le **remède** remedy, cure

remercier thank

le **remords** remorse; **avoir des —,** have pangs of remorse, feel remorseful

remplacer take the place of, replace

rempli, –e filled

rencontrer meet

rendre render, restore, give back; make; **— service** render a service, do a favor

René *a man's name*

rentrer return, go in again; **rentrons chez nous** let us go home

le **repas** meal

repasser review

répété, –e repeated

répéter repeat

répondit *past. def. of* **répondre** = a **répondu**

répondre answer, reply

se **reposer** rest

repousser push back, thrust back

reprendre take again

représenter produce; describe; resemble

le **reproche** reproach; **sans —,** free from reproach

la **réputation** reputation

résolu, –e determined; **d'un air —,** with determination

le **restaurant** restaurant

le **reste** rest, remainder

rester remain

le **résultat** result

retourner return

la **revanche** revenge, retaliation; **prendre sa —,** get even, retaliate

le **rêve** dream

revêche stubborn; **la femme — mise à la raison** the taming of the shrew

réveiller wake (up); **se —,** awake, wake up

revenir come back, return

Pres. Ind.: je **reviens, tu reviens, il revient, nous revenons, vous revenez, ils reviennent**

Imperative: **reviens, revenons, revenez**

Participles: **revenant, revenu**

revenu, –e *past part. of* **revenir**

rêver dream

reviendra: *see* **revenir**

reviendra-z-à = **reviendra à**

reviennent: *see* **revenir**

reviens: *see* **revenir**

revient: *see* **revenir**

revoir: au —, good-bye

le rhume cold

ri *past part. of* rire

riant: en —, laughing

riche wealthy, rich

la ride wrinkle

rien nothing; ne ... —, nothing; — du tout nothing at all; ça ne fait —, that doesn't make any difference; le prix ne fait —, the price is of no consequence

rimer rhyme

rire laugh

la rivière river

la robe dress

le roi king

le roman novel

Roméo et Juliette Romeo and Juliet (*one of Shakespeare's famous plays*)

rond, –e round

le rond circle

rose rosy, pink

le rosier rosebush

rôti, –e roasted

rouge red

la route road; la grand'—, highway

royal, –e royal

le royaume kingdom

la rue street

ruiner ruin

rusé, –e crafty

russe Russian

S

sa his, her, its

le sabre sword

le sac bag; — de voyage traveling bag, valise

sacré, –e sacred

saint, –e holy

le saint saint; — Pierre Saint Peter

sais: *see* **savoir**

saisir seize, take

sait: *see* **savoir**

le salaire pay

salé, –e salted, salty; du petit —, salt pork

saler salt

la salle room; — à manger dining room

le saloir salting tub

saluer salute, bow to

le samedi Saturday

le sang blood

sanglant, –e bloody

sans without

la santé health

satisfait, –e satisfied, appeased

la saucisse sausage

saura: *see* **savoir**

saurai: *see* **savoir**

saurais: *see* **savoir**

saurait: *see* **savoir**

se sauva *past def. of* se sauver = s'est sauvé

sauvage wild

se sauver run away; je me sauve! off I go! here I go!

savais: *see* **savoir**

savant, –e learned

savent: *see* **savoir**

savez: *see* **savoir**

saviez: *see* **savoir**

savoir know (how)

Indicative:

PRES. je sais, tu sais, il sait, nous savons, vous savez, ils savent

IMP. je savais, *etc.*

PAST
INDEF. } j'ai su, *etc.*

Fut.   je saurai, *etc.*
Cond. je saurais, *etc.*
  Imperative:
    sache,   sachons,
    sachez
  Participles:
    sachant, su

savons: *see* savoir
la scène stage
la science science
se himself, to himself; itself; herself, to herself;
  themselves, to them-
  selves
sec, sèche dry
second, –e second
le secours assistance
le secret secret
la Seine *river in northern*
  France
le sel salt
la semaine week
semblant: faire —, pre-
  tend
sembler seem
sept seven
sera: *see* être
serai: *see* être
serait: *see* être
sérieusement in earnest
sérieu–x, –se serious
serions: *see* être
serons: *see* être
seront: *see* être
le service service
le serviteur servant
ses his, her
seul, –e one, alone; only
seulement only
si if; whether; so; yes
si = aussi
siffler whistle
le sillon rank
simple plain
le singe monkey
le sire sire

sitôt as soon; ils n'étaient
  pas — entrés que . . . ,
  they had scarcely en-
  tered when . . .
la situation situation, matter
situé, –e situated
six six
sixième sixth
social, –e social
la société society
la soie silk
la soif thirst; avoir —, be
  thirsty
le soin care; prendre bien —
  (de) take good care (of)
le soir evening; ce —, to-
  night; tous les —s
  every evening; le —,
  in the evening
sois: *see* être
soixante sixty
le soldat soldier
solitaire deserted, lonely
la Somme *river in northern*
  France
la somme sum
sommes: *see* être
le son sound
son his, her
songer think
sonner ring, sound
sont: *see* être
le sort fate, lot
sort: *see* sortir
sortant: *see* sortir
la sorte: de la —, thus
sortent: *see* sortir
sortez: *see* sortir
sorti, –e: *see* sortir
sortir go out, come out,
  get out, leave; bring out

  Indicative:
Pres. je sors, tu sors, il
    sort, nous sor-
    tons, vous sortez,
    ils sortent

Imp.   je sortais, *etc.*
Past
Indef. } je suis sorti, *etc.*
Fut.   je sortirai, *etc.*
Cond.   je sortirais, *etc.*
    Imperative:
       sors, sortons, sortez
    Participles:
       sortant, sorti

sot, sotte stupid
le **sot** fool
le **sou** cent; **n'avoir pas le —**, be penniless
soudain suddenly
souffre *pres. ind. 3d sing. of* **souffrir**
souffrir suffer
le **souhait** wish
souhaiter wish (for)
le **soulier** shoe
soumis, –e submissive
la **soupe** soup
le **souper** supper, dinner
la **soupière** soup tureen
souri *past part. of* **sourire**
sourire smile
sous under
soutenir uphold
soutiens *imper. 2d sing. of* **soutenir**
souvent often
soyez *pres. subj. 2nd pl. of* **être**
spécial, –e special
stupide stupid
le **sud** south
suffit: ça **—**, that will do
suis: *see* **être**
suisse Swiss
suit *pres. ind. 3d sing. of* **suivre**
suite: tout de —, immediately
suivant, –e next, following
suivi, –e *past part. of* **suivre**

suivre follow; **— un cours** take a course
suprême supreme
sur on, upon
sûr, –e sure
surpris, –e surprised
la **surprise** surprise, amazement
surtout above all, especially
surveiller look after
survivre outlive
susurrer whisper
Suzon *diminutive of* **Suzanne**

T

ta your, thy
la **table** table; **— à écrire** writing table; **— à trois** table for three; **à —!** let us sit down and eat!
le **tableau** board; scene
le **tabouret** stool
tailler cut out
le **tailleur** tailor
se **taire** keep quiet, be still; **taisez-vous donc!** do hold your tongue! do be still!
taisez: *see* **taire**
le **tambour** drum; **jouer du —**, beat a drum
tandis que while, whereas
tant (de) so (as) much, so (as) many; **— pis!** too bad!
le **tapage** racket
tard late; **il est —**, it is late
le **teint** complexion
tel, telle (que) such (as)
le **téléphone** telephone
le **temps** time, while; weather; tense; **de — en —**, now

and then; **quelque —**, some time, for some time

se **tenant** *pres. part of* se **tenir**

tendre hold out

tenez: *see* **tenir**

tenir hold; keep; **tenez!** here! se **—**, hold each other

    Indicative:

PRES. je tiens, tu tiens, il tient, nous tenons, vous tenez, ils tiennent

IMP. je tenais, *etc.*

PAST INDEF. } j'ai tenu, *etc.*

FUT. je tiendrai, *etc.*

COND. je tiendrais, *etc.*

    Imperative:

     tiens,   tenons, tenez

    Participles:

     tenant, tenu

la **tente** tent

terminer end, finish

la **terre** earth

tes your, thy

têt' = **tête**

la **tête** head; **mal à la —**, **mal de —**, headache

tiennent: *see* **tenir**

tient: *see* **tenir**

le **tigre** tiger

tira *past def. of* **tirer** = a **tiré**

tira-z-à = **tira à**

tirer draw, pull (out); shoot

le **tiret** dash, hyphen

tisser weave

le **tisserand** weaver

le **toit** roof

tomba *past def. of* **tomber** = **est tombé**

tomber fall; **— à l'eau** fall into the water

ton your, thy

tôt soon, early

toujours always, still

la **tour** tower; **la — Eiffel** Eiffel tower

le **tour** turn; trick; **il dit à son —**, he then said; **jouer un —** (**à**) play a trick (on)

le **touriste** tourist

le **tourment** trouble

tourner turn

tout, —e all, the whole (of); every; quite, very; **— ce que** all that; **—e couverte** entirely covered; **— de suite** immediately; **— à fait** quite, very

le **tout** all, everything; **du —, pas du —**, not at all; **rien du —**, nothing at all

la **trace** trace

traduire translate

traduit *pres. ind. 3d sing. of* **traduire**

tragique tragic

le **tramway** tramway, streetcar

la **tranche** slice

tranquille quiet; **laissez-moi —**, leave me alone

tranquillement quietly, peacefully

le **transport** transport

transporter convey, take

le **travail** work

travailler work

traverser cross

treize thirteen

tremblant, —e trembling, shaking

trempé, —e soaked

très very

trinité: la Trinité Trinity Sunday

le **triomphe** triumph

191

le **troc** barter, exchange
trois three
troisième third
tromper deceive
la **trompette** trumpet; **sonner de la —,** blow the
trumpet
trop too much (many); too
troqué, –e traded
troquer trade, swap
le **trou** hole, burrow
trouva *past def. of* **trouver**
= a trouvé
trouver find; think; **se —,**
find oneself; be, happen
to be
la **truite** trout
tu you, thou
tuer kill
la **tyrannie** tyranny

U

un' = **une**
un, –e one; a, an; **l'—
après l'autre** one after
another
usé, –e worn out, thread-
bare
user wear out
utile useful

V

va: *see* **aller**
la **vache** cow
le **vagabond** vagabond, tramp
vain: en —, vainly
vais: *see* **aller**
valoir be worth
la **variété** variety, change
**va-t-en: Malbrough s'en
— guerre = Malbrough
s'en va en guerre**
vaut *pres. ind. 3d sing. of*
valoir

vendre sell
le **vendredi** Friday
vendu, –e sold
venez: *see* **venir**
venger avenge; **se —,**
avenge oneself, be re-
venged
vengeur avenging
venir come; **— de** have
just

Indicative:
PRES.   je viens, tu viens,
il vient, nous ve-
nons, vous venez,
ils viennent
IMP.   je venais, *etc.*
PAST ⎫
INDEF. ⎬ je suis venu, *etc.*
FUT.   je viendrai, *etc.*
COND.   je viendrais, *etc.*
Imperative:
viens,   venons,
venez
Participles:
venant, venu

venons: *see* **venir**
venu, –e: *see* **venir**
venus: *see* **venir**
la **vérité** truth
le **verre** glass
verrons: *see* **voir**
le **vers** verse, line (*of poetry*)
vers toward(s), to
Versailles *city near Paris
in which is situated the
large palace and art gal-
lery which formerly served
as a residence of the
French kings*
la **vertu** virtue, valor
le **vestibule** hall
le **veston** sack-coat
les **vêtements** clothes
vêtu, –e dressed
veulent: *see* **vouloir**
veut: *see* **vouloir**

192

veux: *see* **vouloir**
la **viande** meat
la **victime** victim
la **victoire** victory
la **vie** life
le **vieillard** old man
viendra: *see* **venir**
viendrait: *see* **venir**
viennent: *see* **venir**
viens: *see* **venir**
vient: *see* **venir**
vieux, vieille old
vilain, –e ugly, nasty
le **village** village
la **ville** city; **de — en —**
　from city to city
le **vin** wine
vingt twenty
vingt-cinq twenty-five
vint *past def. of* **venir** = **est**
venu: — à manquer
　came to be lacking
le **visage** face
visible visible
visité, –e visited
visiter visit
le **visiteur** visitor
vite quickly, fast; **vite!**
　quick! **le plus — pos-**
　sible as fast as pos-
　sible
vive: — la science! hurrah
　for science!
vivent *pres. ind. 3d pl. of*
　vivre
vivre live
voici here is (are); this is;
　— que here is
voilà there is (are); that
　is; **— qui est très sé-**
　rieux that is a serious
　matter
voir see

Indicative:
PRES.　je vois, tu vois, il
　　voit, nous voyons,

vous voyez, ils
voient
IMP.　je voyais, *etc.*
PAST
INDEF. } j'ai vu, *etc.*
FUT.　je verrai, *etc.*
COND.　je verrais, *etc.*
Imperative:
　vois,　voyons,
　voyez
Participles:
　voyant, vu

vois: *see* **voir**
le **voisin** neighbor
voisin, –e neighboring
la **voisine** neighbor
voit: *see* **voir**
la **voiture** carriage, convey-
　ance; **monter en —,** get
　on (in)
la **voix** voice; **à haute —,** out
　loud
le **voleur** thief; **au —!** stop
　thief!
volontiers gladly, with
　pleasure
vont: *see* **aller**
vos your
vot' = **votre**
votre your
le **vôtre, les vôtres** yours
voudra: *see* **vouloir**
voudrais: *see* **vouloir; tu**
　—, you would, thou
　wouldst
voudrait: *see* **vouloir**
voudrez: *see* **vouloir**
voudrions: *see* **vouloir**
voulait: *see* **vouloir**
voulez: *see* **vouloir**
vouloir wish, want, will;
　je veux bien I am will-
　ing, yes I will; **voulez-**
　vous? will you? **je veux**
　dire I mean; **je voudrais**
　I should like

193

Indicative:

PRES.   je veux, tu veux,
il veut, nous vou-
lons, vous voulez,
ils veulent

IMP.   je voulais, *etc.*

PAST }
INDEF. } j'ai voulu, *etc.*

FUT.   je voudrai, *etc.*

COND.   je voudrais, *etc.*

Imperative:
veuillez

Participles:
voulant, voulu

voulons: *see* **vouloir**

voulu, –e: *see* **vouloir**

vous you, to you; **— -même**
(you) yourself; **— tous**
all of you

le **voyage** trip; **faire un —,**
take a trip

voyager travel

le **voyageur** traveler, passen-
ger

voyaient: *see* **voir**

voyait: *see* **voir**

voyant: *see* **voir**

la **voyelle** vowel

voyez: *see* **voir**

voyons: *see* **voir**

vrai, –e true; **c'est —,**
that's true

vraiment indeed, really

vu, –e: *see* **voir**

Y

y there; **il — a** there is (are)

y a = il y a

les **yeux:** *see* **œil**

Z

le **zéro** zero